# Arqueologia da Amazônia

Eduardo Góes Neves

# Arqueologia da Amazônia

ZAHAR

*À memória de James B. Petersen*



*Capa*
Sérgio Campante

*Ilustração da capa*
Estatueta tapajônica da região de Santarém, com cerca de mil anos, sendo colocada em exposição na Bienal do Mercosul (Porto Alegre, out. 2003). Foto do autor

*Preparação de originais*
Michel Teixeira

*Revisão tipográfica*
Eduardo Monteiro
Eduardo Faria

*Composição*
TopTextos Edições Gráficas Ltda.

*Impressão sob demanda*
UmLivro

*Papel*
Offset, Suzano S.A.

CIP-Brasil. Catalogação na fonte
Sindicato Nacional dos Editores de Livros, RJ

---

N423a Neves, Eduardo Góes, 1966-
Arqueologia da Amazônia / Eduardo Góes Neves. — 1ª ed. — Rio de Janeiro: Zahar, 2006.
il. — (Descobrindo o Brasil)

ISBN 978-85-7110-919-3

1. Amazônia — Antiguidades. 2. Cerâmica — Amazônia. 3. Arqueologia — Amazônia. I. Título. II. Série.

CDD: 981.1
06-1396 CDU: 94(811)

---

[2020]

EDITORA SCHWARCZ S.A.
Praça Floriano, 19, sala 3001 — Cinelândia
20031-050 — Rio de Janeiro — RJ
Telefone: (21) 3993-7510
www.companhiadasletras.com.br
www.blogdacompanhia.com.br
facebook.com/editorazahar
instagram.com/editorazahar
twitter.com/editorazahar

FSC
www.fsc.org
MISTO
Papel produzido a partir de fontes responsáveis
FSC® C128038

A marca FSC® é a garantia de que a madeira utilizada na fabricação do papel deste livro provém de florestas que foram gerenciadas de maneira ambientalmente correta, socialmente justa e economicamente viável, além de outras fontes de origem controlada.

# Sumário


Introdução 7

O meio físico 12

O início da ocupação humana 22

A transição para a agricultura e o início da produção cerâmica 31

Ascensão e queda das sociedades complexas da Amazônia 48

Perspectivas futuras e temas de investigação 77

*Cronologia* 79

*Sugestões de leitura* 81

*Agradecimentos* 84

*Sobre o autor* 86

## *Créditos das ilustrações*

p.17: Fotografia de Gustavo Politis.

p.28: Acervo do Museu de Arqueologia e Etnologia da Universidade de São Paulo/fotografia de Wagner Souza e Silva.

p.34: Ilustração de Robert Schomburgk, *Watu Ticaba, a Wapisiana Village*, 1841.

p.54: Fotografia do autor.

p.57-8: Acervo do Museu de Arqueologia e Etnologia da Universidade de São Paulo/fotografias de Wagner Souza e Silva.

p.60: Adaptado de Howells, William. *Back of History*. Nova York: Doubleday, 1954, p.298.

p.63a: Acervo do Instituto Histórico e Geográfico do Amazonas/ fotografia de Fernando Chaves; p.63b: Acervo do Museu de Arqueologia e Etnologia da Universidade de São Paulo/fotografia de Wagner Souza e Silva.

p.65: Desenho de Marcos Brito.

p.67: Acervo do Museu das Culturas do Mundo, Gotemburgo, Suécia.

p.68: Acervo do Museu de Arqueologia e Etnologia da Universidade de São Paulo/fotografia de Fernando Chaves.

p.69: Ilustração de Alexandre Rodrigues Ferreira, *Viagem filosófica pelas capitanias do Grão Pará, Rio Negro, Mato Grosso e Cuiabá, 1783-1792.*

p.70: Acervo do Museu de Arqueologia e Etnologia da Universidade de São Paulo/fotografias de Fernando Chaves.

p.71: Acervo do Museu das Culturas do Mundo, Gotemburgo, Suécia.

## Introdução

A Amazônia é, para muitos, uma das últimas fronteiras inexploradas do planeta, um exemplo de natureza primordial, intocada pela ação humana desde o início dos tempos. Durante o governo militar, no início do mais recente processo de colonização da região, cunhou-se até um slogan para representar essa idéia: a de que a Amazônia seria uma terra sem gente para uma gente sem terra. A arqueologia mostra que essa é uma falsa premissa. Ao examinar mapas de distribuição das terras indígenas na Amazônia contemporânea e compará-los com mapas de distribuição de sítios arqueológicos, nota-se que a ocorrência destes é mais ampla que a daquelas. Atualmente, a maior parte das terras indígenas de grandes dimensões está localizada longe da calha principal dos rios Amazonas e Solimões, em áreas como as bacias do alto rio Negro e do alto rio Xingu. Junto aos rios Amazonas e Solimões há, por exemplo, apenas duas grandes extensões de terras indígenas, respectivamente as dos índios Saterê-Maué e as dos índios Tikuna. Fora delas, porém, em locais atualmente desocupados ou ocupados por populações caboclas e mesmo por cidades, é comum nas margens desses rios a presença de sítios arqueológicos, muitos deles de grande porte. Isso indica que, no passado, essas áreas eram ocupadas por povos indígenas, embora não o sejam no presente.

De meados do século XVI ao início do XVII, quando os primeiros europeus visitaram ou se estabeleceram na Amazônia, era comum a referência à presença de grandes aldeias, algumas ocupadas por milhares de pessoas, integradas em amplas redes regionais de comércio e em federações políticas regionais. Já no início do século XVIII, tais referências desaparecem dos registros históricos. Isso está diretamente ligado ao processo de diminuição populacional resultante do início da colonização européia da Amazônia, conseqüência da transmissão de doenças, da guerra e da escravidão. Assim, a aparente baixa densidade demográfica verificada entre os povos indígenas da Amazônia contemporânea provavelmente resulta mais das vicissitudes da história colonial e do ciclo da borracha na região do que propriamente de alguma inaptidão ecológica inerente.

Atualmente, o contexto político e ecológico da Amazônia é complexo: o desmatamento aumenta a níveis nunca vistos, os conflitos pela posse dos recursos naturais são cada vez maiores e cidades como Manaus e Belém crescem a um ritmo vertiginoso, com as típicas conseqüências da urbanização descontrolada. Projeções — otimistas, se ações concretas não forem implementadas — feitas por cientistas especializados apresentam um quadro de redução drástica da cobertura florestal no nem tão longínquo ano 2030. Todos esses problemas mostram que o Estado brasileiro não sabe direito o que fazer com a Amazônia, embora a necessidade de ações seja premente.

Neste livro, procurarei mostrar que parte dos problemas sensíveis no que se refere à condução e à discussão — por parte de cidadãos organizados, agentes governamentais, cientistas, políticos e intelectuais — de estratégias voltadas para a ocupação e o desenvolvimento sustentável da Amazônia está diretamente ligada ao completo desconhecimento, ou até mesmo desinteresse, com relação à milenar história de ocupação humana da região. Proponho aqui que um olhar voltado para o passado remoto pode, no mínimo, nos trazer parâmetros que possam orientar, de maneira ampla, alguns princípios de ação no presente.

Em primeiro lugar, é importante reconhecer que a bacia amazônica era densamente ocupada por diferentes povos indígenas no final do século XV, época do início da colonização européia nas Américas. Conforme veremos adiante, essa ocupação não era uniforme, variando no tempo e no espaço. Os modos de vida desses povos eram também diversificados: alguns grupos estavam organizados em sociedades hierarquizadas que viviam em assentamentos que hoje chamaríamos de cidades, como pode ter sido o caso dos índios Tapajó, enquanto outros eram nômades que tinham suas economias baseadas na caça, na pesca e na coleta. Em segundo lugar, é também fundamental perceber que os povos que viviam na Amazônia antes do início da colonização européia eram ancestrais dos povos indígenas que ainda ocupam a região, apesar do grande processo de redução demográfica, deslocamento geográfico e mudança cultural ocorrido nos últimos 500 anos. Nesse sentido, a arqueologia da Amazônia é, antes de tudo, uma espécie de História Antiga dos povos indígenas da região. Em terceiro lugar, é necessário reconhecer que a ocupação humana pré-colonial, de certo modo, guia alguns dos processos de ocupação no presente. Freqüentemente, cidades contemporâneas estão localizadas sobre sítios arqueológicos, como é o caso de Santarém, Manaus, Manacapuru e Tefé. Nas áreas rurais, ocorre o mesmo fenômeno.

Finalmente, as hipóteses aqui enunciadas levam a que se reconsiderem as idéias de "última fronteira" ou "natureza intocada". A Amazônia é ocupada há mais de 10.000 anos, em alguns casos por populações de milhares de pessoas. É de se esperar, portanto, que a floresta que hoje recobre muitos sítios arqueológicos tenha, além de uma história natural, também uma história cultural. Assim sendo, é impossível entender aspectos da história natural da Amazônia sem considerar a influência das populações humanas, do mesmo modo que não se pode entender a história dos povos amazônicos sem considerar também as relações que esses povos estabeleceram com a natureza.

As pesquisas arqueológicas na Amazônia têm uma tradição centenária, iniciada por pioneiros brasileiros e estrangeiros na segunda metade do século XIX e organizada inicialmente a partir de dois centros principais: o Museu Nacional, no Rio de Janeiro, e o Museu Paraense Emilio Goeldi, em Belém. Paradoxalmente, apesar dessa tradição, existem ainda grandes lacunas de conhecimento. Com exceção do Pará e do Amapá, estados ou regiões inteiras, como Acre, Roraima, Maranhão e norte do Mato Grosso, são virtualmente desconhecidos. Em outros estados, como Rondônia, Amazonas e Tocantins, há mais informações disponíveis, mas mesmo assim insuficientes ante as suas grandes dimensões. O mesmo vale para os outros países amazônicos, já que a pesquisa nesses locais é ainda bastante incipiente. Sendo assim, as informações aqui apresentadas terão necessariamente caráter hipotético, e é provável que sejam modificadas com o avanço das pesquisas na região.

Este livro é baseado em minha própria experiência de pesquisa no estado do Amazonas e também em informações produzidas pelos poucos arqueólogos que trabalham na região. Por Amazônia, entende-se aqui a chamada Amazônia Legal — os estados de Rondônia, Acre, Amazonas, Roraima, Amapá, Pará e partes do

Maranhão, Tocantins e Mato Grosso —, as porções amazônicas de países como Bolívia, Peru, Equador, Colômbia, Venezuela e, finalmente, os países ou territórios fronteiriços com o Brasil, mas que tecnicamente não pertencem à bacia amazônica, tais como Guiana, Suriname e Guiana Francesa.

## O meio físico

Qualquer descrição do meio físico na Amazônia será cheia de superlativos. No Brasil, a bacia amazônica ocupa mais de 40% do território nacional. Na América do Sul, tem uma área de sete milhões de quilômetros quadrados, quase igual à de todo o continente europeu. O rio Amazonas despeja, em média, 200.000m$^3$/seg de água e sedimentos no oceano Atlântico, o que representa quase 1/5 do total de água doce despejada nos oceanos e mares por todos os rios da Terra. As nascentes do Amazonas e de seus afluentes estão localizadas em três áreas principais: a cordilheira dos Andes, a oeste, o planalto das Guianas, ao norte, e o planalto Central, ao sul. No caso do rio Amazonas, as nascentes estão nos Andes centrais, hoje território peruano.

Os Andes são uma formação geológica recente, cujo processo de soerguimento se encerrou há "apenas" seis milhões de anos, muito pouco quando se considera a história de mais de quatro bilhões de anos do planeta. As montanhas da cordilheira sofrem um processo erosivo intenso, causado pelo regime de chuvas e pelas variações anuais de temperatura, que levam ao derretimento das geleiras no verão e ao desbarrancamento dos terrenos adjacentes às áreas de cabeceiras dos rios que ali se originam. Por outro lado, como conseqüência de sua juventude geológica, os sedimentos transportados pela erosão são bastante ricos em nutrientes. Seu transporte pelos rios e conseqüente deposição em áreas mais baixas leva à fertilização destas a cada cheia anual, em um processo semelhante ao verificado, por exemplo, no rio Nilo. Em uma clássica tipologia, proposta ainda no século XIX, os rios amazônicos que nascem nos Andes são conhecidos como "de água branca", devido à coloração barrenta de suas águas. Já os rios que têm suas nascentes no planalto das Guianas ou no planalto Central, como por exemplo os rios Negro e Xingu, respectivamente, têm suas áreas de cabeceiras em regiões geologicamente mais antigas. Como conseqüência, não trazem carga sedimentar rica em nutrientes, o que faz com que não fertilizem suas planícies de inundação. Na mesma tipologia, tais rios são conhecidos como "de águas claras" e "de águas pretas", dependendo da sua coloração. Rios de águas pretas, como o rio Negro, são normalmente os mais pobres em nutrientes, apesar de apresentarem alta biodiversidade.

Há na Amazônia grande variação anual no regime de chuvas e nos níveis dos rios, visível em pelo menos duas estações bem marcadas — uma época de cheia e outra de seca — que mudam de região a região. Na Amazônia central, por exemplo, o tempo de seca vai de julho a setembro, quando a quantidade de chuva é significativamente menor. Nessa época, o nível das águas diminui, até atingir seu mínimo no mês de novembro. Já no alto Amazonas, o pico da seca ocorre antes, no mês de maio. As variações nos níveis de água dos rios têm conseqüências importantes para as sociedades da Amazônia. É na vazante, quando o nível é mais baixo, que a pesca é mais produtiva, uma vez que o menor volume de água reduz o espaço de circulação dos peixes. É também na época da seca que as roças são derrubadas, queimadas e preparadas para o cultivo. Na época das cheias, por outro lado, a pesca é prejudicada: além de ser o período de desova e de engorda, o alagamento das várzeas e da floresta, formando igapós, cria amplas áreas inundadas por onde se espalham os peixes, o que torna sua captura mais difícil.

Quem tem a oportunidade de sobrevoar a floresta amazônica deve imaginar que os solos da região são bastante férteis, já que sustentam uma floresta densa e alta. Essa impressão é, no entanto, enganosa. Os solos amazônicos são normalmente bastante pobres, com exceção de algumas áreas como as planícies dos rios de águas brancas ou outros locais específicos onde ocor-

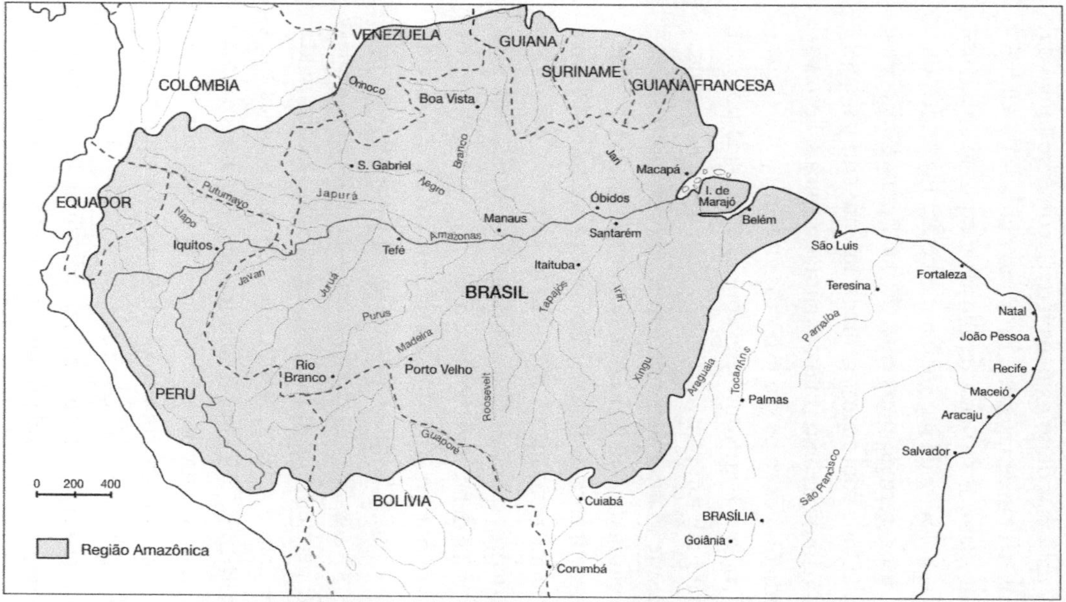


A região amazônica se espalha por países como Equador, Bolívia, Peru, Colômbia e Venezuela, além de ocupar mais de 40% do território brasileiro. Sua área total é quase equivalente à do continente europeu.

rem manchas de solos mais férteis, como ao longo da rodovia Transamazônica, próximo à cidade de Altamira, no Pará. Essa baixa fertilidade é explicada pela história geológica da região. Com exceção dos Andes, que são uma formação recente, a bacia amazônica está implantada sobre áreas geologicamente antigas, sujeitas às condições extremas dos climas tropicais. Sob essas condições, os solos são expostos anualmente a chuvas torrenciais, bem como à evaporação causada pelo sol equatorial. Em conseqüência, tornam-se ácidos e incapazes de manter seus nutrientes, em um processo conhecido como lixiviação. Como explicar, então, o desenvolvimento da floresta? Isso ocorre por causa de uma eficiente reciclagem, permitindo que boa parte dos nutrientes que compõem a biomassa, produzida pela floresta e depositada sobre seu leito — folhas e troncos caídos, por exemplo —, seja decomposta e reabsorvida com a ajuda de micorrizas, fungos que vivem nas raízes das plantas. A reciclagem eficiente faz com que apenas uma pequena quantidade dos nutrientes seja absorvida pelo solo e, mesmo assim, só em suas camadas mais superficiais. Por isso, é comum que, em áreas desmatadas, a floresta demore muito a se recompor: o desmatamento interrompe a ciclagem de nutrientes, empobrecendo os solos, além de torná-los expostos à chuva, o que favorece a erosão e a perda adicional dos eventuais nutrientes que ainda restavam.

Em uma típica floresta madura, isto é, sem desmatamento recente, seja por agentes naturais ou humanos, é comum que a maior parte da biomassa esteja localizada na copa das árvores e não no chão. Tal padrão é importante para o entendimento da ocupação humana: na Amazônia, ao contrário das savanas africanas, é incomum a ocorrência de espécies de animais caçáveis que andem em bando e vivam na superfície do chão. A maior parte dos animais preferidos por grupos que vivem de caça, pesca e coleta habita a copa das árvores. Veados, antas, pacas, capivaras e cotias são presas valiosas, mas também animais solitários e com comportamento territorial relativamente imprevisível, o que dificulta a caça. As exceções são os porcos-do-mato, que andam em grandes bandos em algazarra pela mata, mas também com grande e imprevisível mobilidade. O padrão de distribuição dos animais terrestres, solitários ou de comportamento imprevisível explica por que macacos são presas privilegiadas por caçadores da Amazônia, pois são animais barulhentos, que vivem em bandos nas copas

Os índios Nukak da Amazônia colombiana têm alta mobilidade, permanecendo poucos dias no mesmo local. Atualmente, seu modo de vida encontra-se ameaçado pela guerra civil no país.

das árvores e com comportamento territorial marcado, o que facilita sua identificação e caça em quantidades mais produtivas. É também por tal razão que a zarabatana é, por excelência, a arma preferida de muitos grupos caçadores e coletores. Suas grandes dimensões e o fato de ser silenciosa permitem a captura de animais que vivem no alto das árvores.

Em contraste com o incerto e imprevisível padrão de distribuição de animais terrestres, os animais aquáticos são uma fonte mais previsível e abundante de recursos alimentares. Dentre eles há, além da imensa variedade de peixes, mamíferos aquáticos — como o peixe-boi —, répteis e aves. As áreas ribeirinhas são, portanto, mais ricas e previsíveis em recursos para populações humanas do que as de terra firme. Tal fator pode explicar o padrão pelo qual sítios localizados junto aos grandes rios tendem a ser maiores e mais densos do que os outros.

Para efeito de estudo da ocupação humana, a bacia amazônica pode ser dividida em quatro grandes compartimentos de diferentes tamanhos, distribuídos, grosso modo, de oeste para leste. O primeiro compartimento é formado por uma longa faixa, orientada do sul para o norte, que segue paralela à cordilheira dos Andes, na Bolívia, Peru, Equador e Colômbia, e inclui áreas de cabeceiras do próprio rio Amazonas e de alguns de seus principais afluentes. O segundo compartimento é formado pelas áreas ribeirinhas e alagadas localizadas junto aos inúmeros rios, lagos e igarapés da região. O terceiro compartimento, de maiores dimensões, porém menos conhecido, inclui as imensas áreas de interflúvio, ou "de terra firme", distribuídas por toda a bacia. Trata-se de áreas não alagáveis, distantes dos grandes rios e, portanto, sem acesso a recursos ribeirinhos em larga escala. Essas são também as áreas que vêm sofrendo o maior desmatamento desde a década de 1970. O último compartimento inclui as zonas de estuário e litoral, incluindo, no Brasil, partes dos estados do Amapá, Pará e Maranhão. Trata-se de uma região onde há forte influência das variações diárias das marés, com vários metros de amplitude, além da própria variação anual dos níveis fluviais. Nesse compartimento foram identificados sítios com algumas das cerâmicas mais antigas de que se tem notícia na América do Sul. Foi ali também que floresceu uma das civilizações pré-coloniais mais conhecidas na Amazônia: a marajoara.

Da breve discussão aqui apresentada, depreende-se que existe uma característica subjacente ao processo de ocupação humana da Amazônia: a imensa biodiversidade ali verificada. Isso se manifesta no grande número de espécies de plantas e animais que ocupam a floresta, representando, para as populações humanas, um imenso banco de recursos utilizado ao longo de milênios. Ao mesmo tempo, a natureza sempre proveu referências para as sociedades indígenas — que podem ser verificadas, por exemplo, nos ricos padrões de decoração das cerâmicas produzidas por diferentes grupos da Amazônia pré-colonial, em que é freqüente a representação de seres fantásticos compostos por formas humanas e animais. Curiosamente, entre as sociedades indígenas contemporâneas, é também comum encontrar processos similares, através dos quais seres humanos estariam constantemente envolvidos em transformações nas quais assumem identidades de outros animais. Como exemplo, há as narrativas de pajés que se transformam em onças ou pássaros durante o transe xamânico. Assim sendo, o mundo da natureza, para as populações indígenas da Amazônia, representa não somente um grande estoque de recursos materiais a ser utilizado de diferentes formas — para alimentação, construção de habitações, transporte, divertimento —, mas também uma verdadeira biblioteca de referências, a partir da qual indivíduos e sociedades constroem narrativas sobre si mesmos e seus papéis no universo.

À marcante biodiversidade da Amazônia corresponde também uma grande sociodiversidade, que pode, por exemplo, ser aferida pela notável quantidade de línguas indígenas, de diferentes famílias, ali faladas. Em termos de comparação, todas as línguas modernas da Europa — com exceção do basco, do estoniano, do húngaro, do finlandês e das línguas trazidas recentemente pelos imigrantes da Ásia e da África — pertencem a uma única família lingüística, a indo-européia. Nela incluem-se línguas tão diferentes como, por exemplo, o português e o polonês ou o alemão e o italiano. Uma família lingüística é, como o próprio nome indica, o agrupamento, no presente, de várias línguas diferentes que têm origem comum. Isso fica claro no caso das línguas neolatinas como o francês, o romeno, o castelhano, o catalão, o português e o italiano. A óbvia semelhança entre elas deriva do fato de terem se desenvolvido a partir do latim, a língua oficial do Império Romano. As línguas neolatinas, por sua vez, compõem um ramo de um agrupamento mais amplo e inclusivo, o da família indo-européia. O mesmo ocorre, nessa família, por exemplo, com as línguas eslavas ou as germânicas.

Na bacia amazônica, por sua vez, são faladas línguas de pelo menos quatro grandes famílias distintas — tupi-guarani, arawak, carib e gê —, sem contar inúmeras outras famílias menores e línguas isoladas. As razões para tamanha diversidade lingüística, já reconhecida no século XIX, são certamente históricas e devem ser entendidas através do estudo do processo de ocupação pré-colonial, conforme se verá adiante. A diversidade cultural e social amazônica tem também outras manifestações: alguns grupos têm uma ideologia voltada para a guerra, outros não; há sociedades nômades com economia voltada para caça, pesca e coleta vivendo lado a lado com grupos agricultores sedentários. Tal variabilidade, verificada no presente, também ocorria no passado, conforme indicado pela arqueologia. Sendo assim, é incorreto projetar um único padrão de organização social e política para as populações pré-coloniais, como se elas vivessem todas do mesmo modo. Ao contrário, à medida que as pesquisas arqueológicas avançam na região, percebe-se que a variabilidade de formas de vida no passado tenha talvez sido ainda maior que a do presente.

Finalmente, há também que considerar a grande variabilidade geográfica dentro da bacia amazônica — na cobertura vegetal, na distribuição de espécies animais, na precipitação, na fertilidade do solo, na química das águas e na temperatura —, que tem implicações importantes para o processo de ocupação humana da região. Concluindo, percebe-se que a diversidade é a chave para o entendimento da arqueologia amazônica. Nada mais distante, portanto, de uma certa visão tradicional que enxerga a Amazônia como um grande ecossistema homogêneo — seja ele um inferno verde ou um paraíso perdido — ocupado por grupos essencialmente iguais entre si.

## O início da ocupação humana

A ocupação humana da Amazônia se iniciou há pelo menos 11.000 anos, mas é possível que seja ainda mais antiga. Datas ao redor de 9200 a.C foram obtidas na escavação da caverna da Pedra Pintada, uma gruta localizada no atual município de Monte Alegre, no Pará. Os achados mostram que esses habitantes antigos tinham uma economia baseada em caça, pesca e também coleta de frutas, com destaque para algumas palmeiras até hoje consumidas na Amazônia. O fato de as descobertas em Monte Alegre terem sido feitas em uma gruta não quer dizer que os primeiros habitantes da Amazônia fossem "homens das cavernas". O que ocorre é que grutas e cavernas, pela própria proteção natural que oferecem, têm melhores condições de preservação de materiais, ao contrário de sítios a céu aberto, geralmente expostos à ação da chuva, à erosão e a outras intempéries.

No extremo oposto da Amazônia, na bacia do alto rio Guaporé, atual estado do Mato Grosso, outra gruta, conhecida como Lapa do Sol, forneceu datas ainda mais antigas, de cerca de 12000 anos a.C. A escavação foi feita na década de 1970 por um arqueólogo brasileiro, Eurico Miller, com o auxílio dos índios Nambiquara, que vivem na área. No entanto, as condições de preservação do sítio — que sofreu intensa ação de cupins e possível mistura de camadas arqueológicas — fazem com que essa data seja tomada com cautela, tornando necessária a realização de novas escavações no local para confirmá-la.

De qualquer modo, diferentes partes da Amazônia já eram ocupadas em torno de 7000 a.C. As evidências vêm de locais tão diversos como a serra dos Carajás, no Pará; a bacia do rio Jamari, em Rondônia; a região do rio Caquetá (Japurá), na Colômbia; o baixo rio Negro, próximo a Manaus, e o alto Orinoco, na Venezuela. Apesar da escassez de dados, há um padrão emergente no que se refere ao entendimento da economia dos primeiros habitantes da Amazônia. Esse padrão mostra que os povos tinham uma estratégia de exploração de recursos que valorizava a biodiversidade característica da região, isto é, não eram caçadores especializados na captura de animais de grande porte, mas sim pescadores, coletores e caçadores de animais pequenos. Essa afirmação pode parecer óbvia, uma vez que existem poucas espécies de animais de grande porte na Amazônia, mas é importante considerar que, tradicionalmente, a arqueologia americana esteve impregnada de uma perspectiva, hoje bastante questionada, de que os primeiros habitantes do continente teriam sido especializados justamente nesse tipo de captura. Por conta disso, alguns autores chegaram até a propor que teria sido impossível a ocupação da floresta tropical antes do advento da agricultura. Tais hipóteses gerais têm sido derrubadas nos últimos anos, em grande parte graças a informações obtidas na América do Sul. Elas mostram, em primeiro lugar, que, há cerca de 11.000 anos, havia no continente populações com diferentes tipos de economia: algumas eram especializadas na exploração de recursos marinhos; outras, como na Amazônia, tinham economias diversificadas; enquanto outras ainda eram especializadas na caça. Os dados obtidos em diferentes partes da Amazônia mostram que, de fato, a floresta tropical foi ocupada antes do advento da agricultura, ou seja, por populações com economias baseadas em caça, pesca e coleta. O início da ocupação humana nas Américas sempre foi um dos temas mais debatidos na arqueologia, em uma discussão que já tem mais de um século. Atualmente, esse debate passa por uma transformação profunda, já que a maioria dos arqueólogos concorda com o fato de que as Américas foram ocupadas há mais de 12.000 anos. Os dados da Amazônia são uma contribuição fundamental para esse debate, ao mostrar que as populações que colonizaram inicialmente a região tinham economias diversificadas.

Os primeiros habitantes da Amazônia provavelmente utilizavam uma série de matérias-primas diferentes para produzir seus artefatos e organizar seus modos de vida, mas, devido às condições de preservação normalmente desfavoráveis a materiais orgânicos, o que resta desses conjuntos são instrumentos de pedra lascada ou polida e refugos de sua produção, como, por exemplo, lascas. Em alguns sítios antigos na Amazônia brasileira foram identificadas pontas de projétil bifaciais (ou seja, lascadas em ambas as faces), produzidas a partir de diferentes rochas, como o quartzo e o sílex. Por conta disso, alguns autores sugeriram que pontas de projétil poderiam ser utilizadas como artefatos indicadores de ocupações muito antigas, datadas em mais de 10.000 anos. O problema com esse argumento é que pontas de projétil são muito raras na Amazônia. As estimativas variam, mas menos de 20 delas foram identificadas em toda a bacia amazônica, certamente um número muito pequeno.

Para complicar a situação, a maioria desses artefatos foi encontrada fora de contexto, por garimpeiros, crianças ou pescadores. Sendo assim, é muito difícil determinar sua idade com precisão. Por outro lado, em outros sítios antigos localizados na serra dos Carajás, em Rondônia, e no rio Caquetá, na Colômbia, identificaram-se artefatos de pedra lascada, mas não pontas de projétil, o que mostra que elas não tiveram um uso disseminado. A situação da Amazônia é, de qualquer modo, contrastante com a de outras partes do Brasil — como o planalto meridional, no vale do Ribeira, em São Paulo, ao norte do Rio Grande do Sul —, onde é comum a ocorrência de pontas de projétil em sítios antigos. Em Capelinha, o sítio mais antigo de São Paulo, as escavações identificaram dezenas de pontas em apenas uma unidade de 1m$^2$! Por essa raridade, o estudo das pontas amazônicas é importante.

Na caverna da Pedra Pintada, um sítio antigo escavado com bastante cuidado, identificaram-se fragmentos de pontas com datas ao redor de 9000 a.C., mas nenhum artefato inteiro. Já no sítio a céu aberto Dona Stella, localizado em Iranduba, no Amazonas, uma ponta inteira foi localizada, mas associada a datas mais recentes, entre 7000 e 6500 a.C. Dona Stella é, até o momento, o único sítio onde se identificou uma ponta inteira em contexto arqueológico bem definido em toda a bacia amazônica. O artefato em questão tem cerca de 6 x 4cm. A matéria-prima utilizada foi um tipo de sílex incomum na região, cujos afloramentos mais próximos conhecidos localizam-se a quase 200km de distância. A técnica de produção incluiu percussão direta e pressão. O acabamento refinado da ponta, a simetria nos retoques e a pouca espessura relativa indicam que ela foi confeccionada por artesãos com grande conhecimento técnico. Em ambas as faces do pedúnculo — a haste da base do objeto — há um pequeno canal formado pela retirada por pressão. A pequena dimensão do pedúnculo coloca dúvidas sobre sua função quanto ao encabamento da ponta. De fato, o ótimo estado de conservação da ponta e a ausência de evidências de desgastes no gume, ou mesmo de qualquer tipo de fragmentação, podem até sugerir que sua função talvez não fosse a de instrumento de caça, mas sim, por exemplo, um objeto de status. Aliás, as poucas pontas conhecidas na Amazônia não têm, aparentemente, sinais de uso — como, por exemplo, quebra e reavivamento do gume —, o que indica que esses artefatos também tenham sido utilizados em contextos mais

Pontas de projétil de pedra são raras na bacia amazônica. Esse exemplar foi coletado por James Petersen em 2002, no sítio Dona Stella, e é datado entre 7000 e 6500 a.C.

rituais que propriamente utilitários. Talvez por isso sejam tão raros.

Em torno de 10000 e 8000 a.C., na transição entre as épocas geológicas conhecidas como Pleistoceno e Holoceno, é provável que as condições climáticas e ecológicas da Amazônia fossem semelhantes às atuais, como conseqüência de um processo de aquecimento global iniciado alguns milhares de anos antes, a partir de 16000 a.C. Nessa época, há 18.000 anos, a temperatura do planeta era, em média, 6ºC mais baixa que a atual. Parte considerável da água do planeta estava retida em grandes geleiras localizadas no alto das montanhas ou nas altas latitudes. O território que corresponde atualmente ao Canadá, por exemplo, estava coberto por uma massa de gelo de 3km de espessura e milhões de quilômetros quadrados de área. Uma conseqüência da formação de geleiras foi o recuo do nível do mar, que em alguns pontos ficou até 100m abaixo dos níveis atuais. No caso do rio Amazonas, esse recuo fez com que sua foz ficasse num local muito distante de onde é hoje, próximo à costa da Guiana Francesa, a mais de 100km de distância do litoral atual.

A partir de 16000 a.C. ocorreu um processo de reaquecimento cujas causas estão relacionadas a variações na órbita do planeta. Na Amazônia, de 11000 a.C. em diante, os registros indicam aumento da pluviosidade, do nível dos rios e da sedimentação aluvial. O crescimento gradual do nível do mar, o derretimento de geleiras nos Andes e o aumento do volume de água nos rios levaram ao afogamento de cursos d'água e à formação de lagos, típicos da paisagem regional. Desse modo, é provável que os primeiros habitantes tenham vivido em um contexto ecológico semelhante ao atual.

Paradoxalmente, os registros paleoclimáticos e paleoecológicos do Holoceno médio — ou seja, da época entre 6000 e 1000 a.C. — são menos conhecidos que os do início do Holoceno. As melhores fontes de informação disponíveis para o entendimento do clima e do meio ambiente de então provêm de fontes distintas: pólens preservados no fundo de lagos, geleiras nos Andes, química dos solos, microvestígios vegetais conhecidos como fitólitos e a própria implantação dos sítios arqueológicos. Todas essas fontes independentes parecem indicar que, na Amazônia, o clima foi mais seco entre 6000 e 1000 a.C. Uma possível conseqüência desse intervalo seco deve ter sido a retração de áreas cobertas por floresta, com conseqüente expansão de áreas de cerrado, assim como — nas áreas onde a floresta permaneceu — a mudança na freqüência de espécies de plantas. É também possível que o nível médio dos rios tenha diminuído. No baixo rio Xingu, a base de alguns sítios conhecidos como sambaquis, datados de cerca de 2000 a.C., está atualmente submersas, indicando que o nível médio do rio devia ser mais baixo que o atual. Na baía de Caxiuanã, próxima ao baixo Xingu, houve aumento de chuvas a partir de 700 a.C., enquanto no período anterior, de 4000 a 700 a.C., o lago era bem mais raso do que atualmente, embora a vegetação circundante já fosse composta por floresta tropical.

Resumindo a discussão, as evidências aqui apresentadas apontam para a ocorrência de variações climáticas e ecológicas na Amazônia durante o Holoceno. Os dados são quase concordantes em um aspecto fundamental para a história da ocupação humana na região: o fato de que houve aumento nas condições gerais de precipitação e umidade — além da expansão da floresta em alguns casos — a partir de cerca de 3000 anos atrás. Tal processo deve estar relacionado às mudanças visíveis no registro arqueológico da região, notadas a partir da mesma época, conforme se verá a seguir. Particularmente, no que se refere ao estudo do início da ocupação humana, o reconhecimento de que ocorreram mudanças climáticas significativas ao longo do Holoceno pode explicar por que houve uma aparente diminuição da freqüência de sítios arqueológicos nesse período. Paradoxalmente, conhece-se mais sobre os sítios mais antigos, ocupados antes de 6000 a.C., do que sobre os sítios ocupados entre 6000 e 1000 a.C. Estará essa lacuna nas informações relacionada de fato a um esvaziamento demográfico da região, resultante das mudanças climáticas? Ou, por outro lado, os sítios dessa época não estão sendo identificados devido a problemas nas estratégias de levantamento utilizadas pelos arqueólogos? A ainda baixa quantidade de pesquisas impede que tais perguntas sejam respondidas com certeza. Baseado nos dados atualmente disponíveis, apenas duas áreas da Amazônia foram ocupadas mais ou menos continuamente durante o Holoceno. A primeira inclui a região do baixo rio Amazonas e estuário, desde a atual cidade de Santarém até o litoral, no estado do Pará. A segunda inclui a bacia do alto rio Madeira e seus afluentes, onde atualmente está localizado o estado de Rondônia. Talvez não por acaso, essas áreas correspondem também a locais onde a floresta ficou mais estável ao longo do Holoceno.

## A transição para a agricultura e o início da produção cerâmica

Uma das maiores contribuições dos índios das Américas para a humanidade foi a domesticação de uma série de plantas que atualmente são consumidas de diferentes modos por todo o planeta. A lista é grande e será aqui parcialmente mencionada, em ordem alfabética: abacate, abacaxi, abóbora, amendoim, batata, caju, feijão, mamão, mandioca, maracujá, milho, pimentavermelha, pupunha, tabaco e tomate, entre outros, foram domesticados em diferentes partes do continente americano muito antes da chegada dos europeus. Como quase tudo em arqueologia, há um grande debate sobre a antigüidade do início desse processo, mas é provável que os colonizadores iniciais — que tinham seu modo de vida organizado em torno de caça, pesca e coleta — já praticassem algum tipo de manejo de plantas, conforme dados obtidos, por exemplo, na Amazônia equatoriana. A domesticação de plantas deve ser entendida como um processo a partir do qual algumas espécies selvagens são manipuladas com o objetivo de destacar algumas de suas características, num raciocínio semelhante ao feito atualmente por criadores de animais de raça. Assim, por exemplo, o processo de domesticação da mandioca envolveu a manipulação de espécies selvagens com o objetivo de desenvolver variedades com raízes mais grossas e longas, já que esta é a parte da planta que é consumida. Do mesmo modo, a domesticação da pupunha — uma espécie de palmeira cujos frutos, do tamanho de uma ameixa, são amplamente consumidos na Amazônia e em outros países da América do Sul e Central — envolveu um processo de seleção que privilegiou, ao longo do tempo, as variedades com frutos maiores. O processo de seleção intencional que leva à domesticação de uma planta é bastante longo, com duração de muitas décadas ou mesmo séculos. Nesse sentido, a agricultura não foi "inventada" por alguns poucos indivíduos. Ao contrário, resulta de processos longos e cumulativos no decorrer dos quais a seleção intencional de características morfológicas acaba por levar ao surgimento de novas espécies, aparentadas às espécies selvagens das quais se originaram. É óbvio que hoje isso mudou. Basta, por exemplo, ver as fortunas investidas por grandes laboratórios internacionais no desenvolvimento de espécies transgênicas.

Pode-se considerar a emergência da agricultura como um processo coevolutivo no qual seres humanos e plantas desenvolveram uma dependência mútua que tornou a vida de ambos impossível sem a presença do outro. A mandioca é um bom exemplo: foi domesticada na Amazônia e atualmente é consumida em larga escala pela América Latina, Caribe, África e Ásia. Ela é tão dependente dos seres humanos para se reproduzir que muitas variedades já perderam a capacidade de lançar sementes no solo. Nesses casos, é necessário que talos do galho sejam quebrados e plantados pelos agricultores. Por outro lado, é correto afirmar que muitas populações do mundo em desenvolvimento provavelmente teriam dificuldades nutricionais ainda piores sem o cultivo de mandioca. Esse exemplo é ilustrativo e impressionante, já que os índios — provavelmente as índias — do passado desenvolveram uma tecnologia sofisticada, baseada no uso de vários instrumentos, como o ralador, o tipiti e o cumatá, que transforma uma planta extremamente venenosa em vários produtos importantes, como o beiju, a farinha, a tapioca e o caxiri.

A domesticação da mandioca é um exemplo de como as antigas populações amazônicas desenvolveram técnicas avançadas de cultivo. Essa imagem foi feita por Robert Schomburgk em 1841.

No estudo do processo de domesticação de plantas e animais, algumas áreas são classificadas como centros, isto é, locais onde esses processos inicialmente ocorreram, enquanto outras são consideradas receptoras, ou seja, locais que posteriormente receberam essas inovações. Nas Américas, existem dois centros conhecidos de domesticação de plantas: a Mesoamérica — partes do México, Guatemala e Honduras — e os Andes centrais. Paulatinamente, no entanto, a Amazônia também tem sido considerada um centro independente de domesticação. A lista de plantas domesticadas ali é extensa e inclui, entre outras, o abacaxi, o amendoim, o mamão e, principalmente, a mandioca e a pupunha.

Normalmente, um centro de domesticação pode ser identificado a partir dos próprios vestígios paleobotânicos encontrados nos sítios arqueológicos ou de estudos botânicos e genéticos indicando a ocorrência, em áreas específicas, de espécies selvagens que tenham parentesco com as espécies domesticadas. Dentro da grande diversidade ecológica e geográfica que caracteriza a Amazônia, há uma área específica que pode ter sido um importante centro de domesticação: a bacia do alto Madeira e seus afluentes, onde hoje está o estado de Rondônia. De acordo com evidências botânicas e genéticas, esse foi o centro de domesticação de duas das mais importantes plantas cultivadas atualmente na Amazônia: a mandioca e a pupunha. Curiosamente, e talvez não por acaso, essa é uma das poucas áreas onde há claras evidências de ocupação humana contínua durante todo o Holoceno. Conforme se verá adiante, o alto Madeira pode também ter sido o centro de origem das línguas tupis.

As formas antigas de agricultura da Amazônia foram provavelmente bastante parecidas com algumas práticas atuais, tal como o cultivo nos quintais das casas — às vezes em hortas suspensas, geralmente sobre canoas abandonadas — de plantas medicinais ou temperos, como diferentes tipos de pimentas. Uma diferença tecnológica significativa, no entanto, é que as populações pré-coloniais não dispunham de machados de metal para abrir suas roças. É provável que a introdução desse tipo de instrumento, bem como de facões, a partir do século XVI, tenha modificado as práticas agrícolas e os próprios padrões de mobilidade das sociedades amazônicas. A técnica de cultivo tradicionalmente utilizada na Amazônia e também na Mata Atlântica e no Brasil central é a agricultura "de coivara", "de toco" ou "de corte e queima", que consiste na derrubada e queima de áreas de floresta realizadas na época da seca, e posterior cultivo nesses locais. As cinzas resultantes contribuem para fertilizar os normalmente pouco férteis solos das áreas de terra firme da Amazônia. Nas roças de coivara, os troncos das árvores derrubadas e queimadas são mantidos, o que confere a elas um aspecto de "sujeira" ou "desorganização".

A vida útil de uma roça de coivara é relativamente curta: após dois ou três anos a fertilidade do solo diminui, do mesmo modo que aumenta a competição das plantas cultivadas com as ervas daninhas. Por conta desse padrão, alguns autores sugeriram que economias baseadas no cultivo em roças de coivara seriam impossíveis de manter populações sedentárias, dada a suposta necessidade de relocação constante. O argumento é interessante, mas tem um problema: é baseado no estudo de sociedades indígenas contemporâneas, que fazem amplo uso de machados e facões de metal. Isso acelera significativamente o árduo trabalho de abertura de uma roça na floresta, ao mesmo tempo em que facilita a abertura de áreas mais amplas. Com machados de pedra essa tarefa era certamente mais demorada e complicada, pois eles tendem a quebrar, são mais pesados e o reavivamento de seus gumes é bastante demorado e complexo. Rochas aptas à produção de machados — sejam eles lascados ou polidos — nem sempre são amplamente disponíveis na Amazônia, principalmente nas áreas de várzea. Como conseqüência, não é à toa que grupos indígenas considerados "isolados" já fizessem uso de ferramentas de metal quando foram contatados pela primeira vez. Em alguns casos, essas ferramentas estão bastante gastas, mas sua melhor aptidão à derrubada de roças as torna instrumentos cobiçados.

Com base nas diferenças tecnológicas entre machados de pedra e de metal para a derrubada da mata, percebe-se que os padrões de cultivo em roças de coivara na Amazônia pré-colonial eram certamente diferentes dos verificados entre os índios contemporâneos da região. É provável que os sistemas pré-coloniais tivessem menos mobilidade que os atuais. Se for correta essa hipótese, pode-se supor que áreas de vegetação secundária tenham sido valorizadas para a abertura de roças. Nelas, o diâmetro das árvores é, em média, menor do que em uma floresta madura, o que facilita a derrubada, mesmo com machados de pedra. É também provável que o tempo de vida útil das roças tenha sido maior que o verificado atualmente, o que levaria a um cuidado maior no combate às pragas e a algum tipo de investimento na manutenção da fertilidade. Finalmente, deve-se também considerar a hipótese de que a ocupação das aldeias tenha tido também uma duração maior, como conseqüência da menor mobilidade dos sistemas agrícolas. Uma possível resultante dessa prática de cultivo são as chamadas "terras mulatas": solos normalmente férteis, de coloração marrom, relativamente extensos, próximos a sítios arqueológicos, normalmente interpretados como vestígios de antigas áreas de cultivo. Outros tipos de evidência arqueológica apóiam essa hipótese: na Amazônia central, em sítios ocupados por muitas décadas ou mesmo alguns séculos, é comum a ocorrência de machados lascados ou polidos de pequeno porte, instrumentos adequados à derrubada de árvores menores, típicas de áreas de vegetação secundária.

Embora a Amazônia, em particular sua porção sudoeste, tenha sido um centro independente de domesticação de plantas na América do Sul, não se sabe ainda quando esse processo teve início. Para entendê-lo, é necessário diferenciar os termos "domesticação" e "agricultura", já que, embora estejam intimamente relacionados, referem-se a atividades ou processos distintos.

*Domesticação* é o processo pelo qual características genéticas de plantas selvagens são intencionalmente modificadas até o surgimento de novas espécies, em muitos casos dependentes de intervenções humanas para sua reprodução. Ou seja, algumas dessas plantas perdem a capacidade de se reproduzir naturalmente. *Agricultura*, para a discussão aqui apresentada, refere-se ao estabelecimento de um modo de vida totalmente dependente do cultivo de plantas domesticadas.

A domesticação de plantas é uma condição fundamental para o estabelecimento de modos de vida agrícolas, mas é possível que sociedades com economias baseadas em caça, pesca e coleta também tenham se utilizado de plantas domesticadas sem que se tornassem completamente agrícolas. Esse padrão ainda é verificado entre populações indígenas amazônicas como os Maku, Nukak, Parakanã, Sirionó, entre outras. Trata-se de populações que, tecnicamente, vivem de caça, pesca e coleta, mas que também mantêm o cultivo em pequena escala de algumas espécies de plantas. Para certos autores, alguns desses grupos teriam sido agricultores que regrediram a um modo de vida caçador, coletor e pescador devido às pressões da conquista européia, numa espécie de "marcha a ré evolutiva". A hipótese é interessante, mas traz uma carga evolucionista unilinear, como se os processos de mudança ocorressem por um único caminho. Tais "regressões", porém, podem ser vistas de outra maneira. A idéia de regressão implica o retorno a um modo de vida antigo e superado, mas é também plausível que alguns desses grupos contemporâneos tenham oscilado entre economias mais ou menos agrícolas ao longo de milênios e que a opção recente pela agricultura seja mais uma manifestação dessa oscilação estrutural.

A discussão acima é importante porque ajuda a explicar outro paradoxo da arqueologia amazônica: o grande intervalo cronológico, de alguns milhares de anos, entre as evidências mais antigas de domesticação e a emergência de modos de vida plenamente agrícolas. É provável que, ao longo desses milênios, entre 6000 e 1000 a.C., a ocupação humana da Amazônia tenha sido realizada por populações com economia mista, baseada em caça, pesca, coleta e em uma agricultura de baixa intensidade. Tais estratégias diversificadas, por certo, mimetizavam a própria biodiversidade da floresta. Assim, embora o processo de domesticação de plantas seja bastante antigo, o surgimento de modos de vida dependentes da agricultura foi muito mais recente, tendo se iniciado há mais ou menos 3.000 anos. Essa hipótese é baseada no fato de que, a partir de então, são mais claras as evidências de grandes aldeias sedentárias, ocupadas por centenas de pessoas durante muitas décadas, o que é compatível com economias plenamente agrícolas. Como explicar a longa duração desse intervalo? Uma hipótese será apresentada a seguir.

As diferentes maneiras pelas quais a agricultura foi ou não incorporada aos modos de vida na Amazônia, durante o período entre 6000 e 1000 a.C., tiveram também um papel importante no processo de expansão das línguas indígenas na região. À medida que se estreita a cooperação entre lingüistas e arqueólogos trabalhando em diferentes partes do planeta, fica cada vez mais claro um padrão que correlaciona a distribuição de línguas de algumas famílias lingüísticas no presente a processos de expansão agrícola no passado. Esse parece ter sido o caso das línguas indo-européias, na Europa, das línguas bantu, na África subsaariana, e das línguas austronesianas, no sudeste da Ásia e da Polinésia. O raciocínio é simples: a adoção da agricultura levaria ao crescimento populacional, e essa expansão demográfica, à colonização de novas áreas, ocupadas anteriormente por populações não agricultoras ou mesmo totalmente desocupadas por seres humanos, como na Polinésia. No caso da Amazônia, há um elemento complicador, que é a ocorrência de mais de uma expansão lingüística. Dessas expansões, duas foram bastante amplas: as das famílias arawak e tupi-guarani. No início da colonização européia das Américas, no final do século XV, as línguas arawak tinham ampla distribuição, cujos limites eram as ilhas Bahamas, no Caribe, a região do Pantanal mato-grossense, o sopé dos Andes e a foz do Amazonas. A distribuição das línguas tupi-guarani era menor, mas também grande, e incluía uma área que tinha como limites o rio Amazonas, o norte da Argentina, o sopé dos Andes bolivianos e o litoral atlântico, do Ceará ao rio da Prata. Apesar de amplas, as distribuições das famílias arawak e tupi-guarani não eram contínuas, mas sim entremeadas por áreas ocupadas por falantes de outras línguas.

Na antropologia das terras baixas da América do Sul, é antiga uma hipótese que correlaciona a expansão arawak à domesticação e ao cultivo da mandioca. De fato, nas ilhas do Caribe, os povos responsáveis pela introdução desse cultivo, há mais de 2.000 anos, eram falantes de línguas arawak oriundos do norte da América do Sul. É possível que o mesmo tenha ocorrido em períodos mais recentes, no final do primeiro milênio, na bacia do alto Xingu. Além do mais, grupos arawak são tradicionalmente reconhecidos pela antropologia como agricultores contumazes, o que confirmaria a hipótese. O problema, no entanto, é que a genética de plantas indica que o provável centro de origem de domesticação da mandioca tenha sido a região do alto Madeira, onde atualmente está o estado de Rondônia, uma região aparentemente nunca ocupada por falantes de línguas da família arawak. Como resolver esse problema?

Uma característica notável das ocupações humanas iniciais na Amazônia é a presença precoce da produção cerâmica, com datas que estão entre as mais antigas da América do Sul. Tais cerâmicas foram identificadas no atual estado do Pará, em uma região que começa no baixo Amazonas, próximo às atuais cidades de Santarém e Monte Alegre, passa pelo baixo rio Xingu e chega à chamada "zona do Salgado", que é, de fato, o litoral atlântico desse estado. É provável que cerâmicas com tal antigüidade sejam identificadas também no litoral do Maranhão. Fora do Brasil, no litoral do Suriname também se encontram objetos desse tipo.

Com exceção da caverna da Pedra Pintada, localizada em Monte Alegre, todos os outros pontos onde cerâmicas antigas foram identificadas são sambaquis — sítios arqueológicos bastante particulares, localizados em praias, áreas ribeirinhas ou lagunares por todo o mundo. Formados pelo acúmulo intencional de conchas e terra, resultam em verdadeiras colinas artificiais, em alguns casos com vários metros de altura. Atualmente, acredita-se que os sambaquis fossem locais de moradia, mas também funcionavam como cemitérios, uma vez que é comum identificar neles sepultamentos humanos. No Brasil, os mais conhecidos e estudados são os do litoral sul e sudeste, distribuídos desde o Rio Grande do Sul até o Rio de Janeiro. No vale do Ribeira, em São Paulo, encontram-se os sambaquis mais antigos dessas regiões, tanto litorâneos como fluviais, datados de 6000 a.C. A partir dessas datas antigas, sambaquis foram sendo construídos e habitados no sul e sudeste até por volta do ano 1000, quando são abandonados, provavelmente como conseqüência da ocupação dessa região por grupos agricultores falantes de línguas da família tupi-guarani.

Na Amazônia, os sambaquis foram bem menos estudados que em outras partes do Brasil, mas há informações sobre sua distribuição em áreas como o litoral do Salgado e o litoral do Amapá, o baixo Xingu, próximo a Porto de Móz, a região de Santarém, a cidade de Itapiranga, no Amazonas, e até o vale do Guaporé, em Rondônia. Essa distribuição, no entanto, não é contínua. A região do Salgado, no litoral do Pará, é um ambiente bastante rico, formado por extensos manguezais e grande rede de rios e arquipélagos. Nessas áreas, sabe-se da ocorrência de sambaquis há muito tempo, devido a sua destruição para a mineração de cal. Cientistas pioneiros como Domingos Ferreira Penna, fundador do Museu Emilio Goeldi, em Belém, realizaram pesquisas em sambaquis do Salgado no final do século XIX, mas foi apenas nas décadas de 1960 e 1970 que, graças às pesquisas de Mario Simões, se obtiveram datas para eles. Os resultados indicam que são tão antigos quanto os sambaquis do sul e sudeste, com a importante diferença de que contêm cerâmicas com idades de até 3500 anos a.C. Conhecidas como mina, elas estão entre as mais antigas do continente. Nos sambaquis do sul e sudeste, as cerâmicas são quase ausentes e, quando ocorrem, são muito mais recentes.

As datas de 3500 a.C. identificadas no Salgado fazem parte do quadro mais amplo do início da produção cerâmica no continente americano. Esse quadro mostra que cerâmicas antigas são encontradas, a partir de 4000 a.C., em um arco que vai do litoral do Equador, a oeste, à foz do Amazonas, a leste. O arco contorna o norte do continente, passando pelo litoral norte da Colômbia e pelo litoral do Suriname. Nesses pontos, cerâmicas com datas entre 4000 e 3500 a.C. foram encontradas, em alguns casos em sambaquis. As cerâmicas mais antigas das Américas, no entanto, foram localizadas no interior do continente, no baixo Amazonas, próximo a Santarém. Nessa região, em frente à ilha do Ituqui, no sambaqui fluvial de Taperinha, Anna Roosevelt identificou, nos anos 80, cerâmicas com datas remontando a quase 5000 a.C. Posteriormente, na década de 1990, ela escavou, na caverna da Pedra Pintada, localizada na mesma região, cerâmicas supostamente mais antigas, datadas de 6000 a.C. No entanto, os resultados dessas pesquisas são ainda discutíveis por várias razões. Em primeiro lugar, as informações disponíveis sobre tais objetos, bem como sobre os contextos onde foram identificados, são bastante esparsas. Em segundo, alguns arqueólogos sugeriram que processos posteriores à ocupação desses sítios causaram perturbação nos depósitos, o que traria problemas quanto à aceitação das descobertas. Tais críticas são procedentes, mas não invalidam a plausibilidade das datas.

O problema mais agudo para os que criticam essa datação diz respeito à possibilidade de ter havido mais de um centro original de produção de cerâmicas em todo o continente americano. Durante muitas décadas, os arqueólogos aceitaram a idéia de apenas um centro, localizado no noroeste da América do Sul, em uma área que vai do litoral do Equador, próximo à cidade de Guayaquil, ao litoral atlântico da Colômbia, próximo a Cartagena. Nessa hipótese, a partir desse centro inicial, onde há cerâmicas de até 4000 a.C., técnicas de fabricação ou populações que as dominavam teriam se espalhado para outras áreas, incluindo a América Central, os Andes e a Amazônia. Essa hipótese tem, no entanto, pelo menos dois problemas: o primeiro, mais óbvio, é a própria data das cerâmicas de Pedra Pintada e Taperinha, que, se confirmada, é mais antiga que a das cerâmicas do Equador e da Colômbia. O segundo é que mesmo as cerâmicas mais recentes — como as dos sambaquis do Salgado, datadas em torno de 3500 a.C. — são bastante diferentes das supostamente originais de que teriam derivado. Enquanto, por exemplo, as cerâmicas do noroeste da América do Sul têm padrões decorativos plásticos que incluem a incisão, as do Salgado e as do litoral do Suriname não têm decoração alguma, com exceção da pintura vermelha. Esses dados enfraquecem a hipótese de um único centro inicial, já que a expectativa seria que houvesse alguma semelhança estilística ou técnica entre elas. As cerâmicas de

Monte Alegre e Taperinha, por sua vez, parecem também ter decoração incisa, mas, como são pouco conhecidas, os padrões não são ainda claros para que se possa estabelecer comparações.

Tradicionalmente, arqueólogos associam o início da produção cerâmica ao desenvolvimento da agricultura, trabalhando com a premissa de que essa tecnologia — ligada à produção de vasos para armazenamento e cocção — permite o processamento mais efetivo de alimentos. Os dados sobre o início da produção cerâmica na Amazônia e no norte da América do Sul mostram que o quadro é mais complexo, uma vez que as datas mais antigas, em torno de 5000 e 3500 a.C., vêm de contextos em que a agricultura não havia sido plenamente adotada. Desse modo, a presença antiga de cerâmica não parece indicar uma ruptura com os modos de vida anteriores. Ao contrário, é provável que tenha se mantido o mesmo padrão de adaptação baseado em economias diversificadas, organizadas na caça, pesca e coleta.

O conhecimento sobre as cerâmicas antigas na Amazônia é, como quase tudo, ainda embrionário: as áreas com evidência de produção precoce são aparentemente restritas, estando localizadas em sambaquis litorâneos e fluviais do baixo Amazonas e da zona do estuário. Em outras partes da região, durante esse mesmo período, que durou aproximadamente de 7.500 a 3.500 anos atrás, as evidências de produção cerâmica — e mesmo de qualquer tipo de ocupação humana — são raras, se não totalmente inexistentes. Curioso também é o fato de que, em um dos supostos centros originais da Amazônia — a região de Santarém e Monte Alegre —, a produção cerâmica tenha sido aparentemente abandonada após um início precoce. Se essa hipótese estiver correta, indica, mais uma vez, que os processos de mudança no passado não foram lineares nem previsíveis. É interessante notar que, embora no início do século XVI o maior Estado das Américas, o Império Inca, tivesse seu centro e sua origem no coração da cordilheira dos Andes, todos os focos iniciais de uma importante inovação tecnológica, a produção cerâmica, estão localizados fora da cordilheira, em áreas de terras baixas tropicais.

## Ascensão e queda das sociedades complexas da Amazônia

Uma das hipóteses subjacentes a este livro propõe que a ocupação humana pré-colonial da Amazônia não foi um processo regular e cumulativo, mas sim caracterizado pela alternância entre períodos de aparente estabilidade e outros de mudanças relativamente bruscas nos padrões de organização social, econômica e política, visíveis no registro arqueológico. Talvez as manifestações mais claras dessa hipótese sejam as súbitas transformações nos padrões de ocupação notáveis a partir de cerca de 2.000 anos atrás. Tais modificações certamente refletem mudanças mais profundas, relacionadas à organização política das sociedades amazônicas do período. Seu aspecto mais visível é o aumento no tamanho, densidade e duração de ocupação nos sítios arqueológicos. Esse processo pode ser inferido, por exemplo, pela construção de aterros monumentais em regiões tão distantes como a ilha de Marajó, o alto Xingu, os campos alagados de llanos de Mojos, na Bolívia, e as planícies costeiras das Guianas. Do mesmo modo, é a partir dessa época que ficam mais visíveis e numerosos os sítios associados aos solos antrópicos conhecidos como terras pretas de índio, correlatos aos processos de ocupação sedentária.

Às modificações nos padrões de assentamento correspondem também sinais de uma verdadeira explosão cultural. Diferentes tradições ceramistas são visíveis no registro arqueológico, algumas claramente locais, outras com influências externas, principalmente do norte da América do Sul. Artefatos líticos polidos com iconografias comuns, como muiraquitãs e estatuetas, são encontrados distribuídos por amplas áreas, indicando a ocorrência de formas de contato que integraram populações em redes mais amplas. Finalmente, a partir dessa época, ficam mais visíveis evidências de conflitos armados, o que é atestado pela presença de estruturas defensivas localizadas no alto rio Negro, na Amazônia central e no alto Xingu.

Conforme discutido anteriormente, parece cada vez mais claro que houve mudanças climáticas e ecológicas significativas em toda a bacia amazônica, em torno do ano 1000 a.C. Tais mudanças se referem, principalmente, ao aumento da pluviosidade e à conseqüente expansão da floresta sobre áreas anteriormente cobertas por uma vegetação mais aberta, como os cerrados. Os dramáticos eventos de 2005 mostram como pequenas mudanças climáticas podem ter um impacto marcante na Amazônia. Nesse ano, um aumento da temperatura nas águas do mar do Caribe foi responsável por uma série de furacões catastróficos como o Katrina, que destruiu a cidade de Nova Orleans, nos Estados Unidos. Na Amazônia, a conseqüência foi uma redução das chuvas que levou à diminuição significativa do nível de água dos principais rios, à mortandade de peixes e à propagação de doenças. Sendo assim, parece legítimo que se postule alguma correlação entre as mudanças climáticas notáveis a partir de 1000 a.C. e as transformações visíveis no registro arqueológico da Amazônia.

Sob esta perspectiva, o aumento da pluviosidade e a expansão das florestas criaram as condições para a expansão de modos de vida plenamente agrícolas pela bacia amazônica. As transformações em conseqüência da adoção da agricultura seriam, por sua vez, correlacionadas a outros fenômenos notáveis, a partir da mesma época, no quadro da ocupação humana das terras baixas da América do Sul, além da Amazônia, tais como: a expansão de grupos falantes de línguas do tronco tupi e da família arawak, o surgimento de grandes aldeias anelares no Brasil central e no alto Xingu e o surgimento de grandes aldeias na região do Pantanal.

Como, no entanto, conciliar a hipótese de uma adoção relativamente recente da agricultura, a partir de cerca de 1000 a.C., ou mesmo depois, se as evidências paleobotânicas indicam que o processo de manejo e domesticação de plantas se iniciou muito antes, há talvez 9.000 anos? A resposta a esse paradoxo deve postular a ocorrência de um grande intervalo cronológico entre o início do processo de domesticação e a plena adoção da agricultura como base produtiva. Tal intervalo seria coincidente com o Holoceno médio, uma época aparentemente mais árida. As mudanças climáticas notáveis a partir de 1000 a.C. teriam criado as condições ecológicas para essa transformação. A hipótese da adoção relativamente recente da agricultura poderia também explicar um fenômeno interessante e recorrente entre vários grupos indígenas contemporâneos: mesmo sendo agricultores, eles valorizam e conferem prestígio muito maior à caça, embora essa não seja a atividade mais importante para a obtenção de alimentos.

*Terras pretas*. Atualmente, as evidências mais antigas de estabelecimento de assentamentos sedentários na Amazônia brasileira vêm de dois locais distintos, situados em extremidades opostas da bacia: a ilha de Marajó e a região do alto rio Madeira, onde está atualmente Rondônia. Esse estado tem uma arqueologia pouco conhecida, embora com potencial bastante grande. É ali que se encontra, hoje, a maior diversidade lingüística entre os povos falantes de línguas tupi, o que sugere que essa seja sua região de origem. É também a região que estudos genéticos sugerem ter sido o centro de domesticação original de importantes plantas amazônicas, como a mandioca e a pupunha. Finalmente, ali foram encontradas o que parecem ser as mais antigas terras pretas de índio da Amazônia, com cerca de 4.000 anos de idade. Nas áreas adjacentes aos rios Solimões e Amazonas, tais tipos de solo — bastante férteis e com grande importância econômica — são mais recentes, tendo mais ou menos 2.000 anos de idade.

As terras pretas talvez sejam o melhor indicador de que os ambientes amazônicos foram modificados pelas populações indígenas que ocupavam a região antes da conquista. Atualmente, esse tipo de solo é procurado por agricultores em razão de seu potencial de cultivo, mas pouca gente sabe que foi formado pelos índios no passado. Além da alta fertilidade, talvez a propriedade mais interessante das terras pretas seja a estabilidade. Escavações realizadas na Amazônia central indicam que as terras pretas mais antigas nessa área datam do século VII, ou seja, têm cerca de 1.400 anos de idade. Tais solos mantêm, no entanto, alta fertilidade, o que normalmente seria incompatível com a intensa lixiviação que ocorre nos trópicos. Em outras palavras, a expectativa seria de que solos com essa idade fossem atualmente pouco férteis, após séculos de exposição às condições climáticas da região. Por conta dessa propriedade, esforços interdisciplinares têm sido feitos por agrônomos, pedólogos (cientistas de solo), geólogos, químicos, antropólogos e arqueólogos com o objetivo de determinar os processos responsáveis pela formação das terras pretas e as características que promovem sua estabilidade.

Ainda não se sabe, porém, o que levou à formação das terras pretas. A hipótese mais provável é que elas resultem do acúmulo contínuo de restos orgânicos — ossos de peixes e outros animais, cascas de frutas e raízes, fezes, urina, carvão etc. — em aldeias sedentárias ocupadas durante muitos anos ou décadas. Sob essa perspectiva, sítios com esse tipo de solo seriam locais de habitação no passado. Alguns deles têm áreas consideráveis: Açutuba, localizado no baixo rio Negro, a cerca de 40km de Manaus, por exemplo, tem 90ha de área, com 3km de comprimento por 300m de largura. É provável, portanto, que tenha sido uma grande aldeia, com algumas centenas de habitantes, durante seu período de ocupação.

Com base nessas considerações, o surgimento de sítios com terras pretas no registro arqueológico da Amazônia pode ser visto como um marcador de mudança nas relações sociais e econômicas: as sociedades que os ocuparam eram mais sedentárias, tinham menos mobilidade e talvez fossem mais territoriais que suas antecessoras. Quanto à estabilidade das terras pretas, a resposta para essa questão deverá passar necessariamente pela consideração de que são uma matriz composta por elementos naturais — o próprio solo e seus componentes orgânicos, inclusive restos de alimentos — e culturais — fragmentos de cerâmica e de objetos de pedra lascada e polida. É comum agricultores que plantam mamão em áreas com terras pretas utilizarem os abundantes fragmentos de cerâmica visíveis na superfície das roças para, por exemplo, proteger do sol intenso e da evaporação as áreas adjacentes às plantas. Do mesmo modo, alguns agricultores reclamam dos arqueólogos quando, durante as escavações, os fragmentos cerâmicos enterrados são

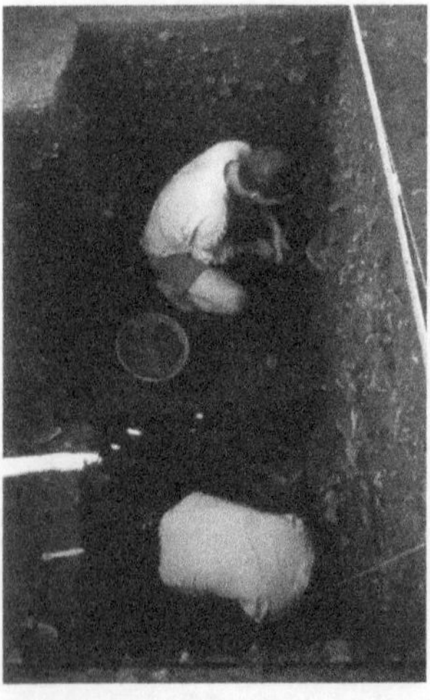

Os sítios de terra preta, além de muito férteis, são ricos em vestígios arqueológicos. A escavação de um depósito de cerca de 150cm de profundidade, em Iranduba, no Amazonas, revelou muitos fragmentos, visíveis no corte.

coletados. Segundo eles, essa retirada faz com que o solo seque mais rápido, chegando a rachar durante a estiagem. Isso ocorre porque a presença de toneladas de fragmentos de cerâmica diminui a velocidade de evaporação da água retida no solo, mantendo-o úmido por muito mais tempo.

*A tradição pocó.* Com exceção da região de Rondônia, onde sítios com terras pretas podem ter até 4.000 anos de idade, em outras partes da bacia amazônica eles começaram a se formar a partir de cerca de 2.000 anos atrás. Sendo assim, é também a partir dessa época que surgem, em diferentes partes, as evidências de assentamentos sedentários e populosos. Nos sítios da Amazônia central encontram-se cerâmicas bem-feitas, com decoração pintada e incisa, chamadas de manacapuru. Em alguns sítios, subjacentes a essas ocupações, há depósitos mais profundos, enterrados, às vezes, a mais de 100cm, datados em até 2.300 anos de idade, também com cerâmicas de decoração incisa e pintada, mas sem a presença de terras pretas. Esses objetos têm semelhanças com outros, encontrados, por exemplo, no baixo Amazonas, datados da mesma época e também sem associação com terras pretas. Esses depósitos, localizados perto dos rios Amazonas, Solimões e alguns de seus afluentes, datados em cerca de 2.000 anos e não associados a terras pretas, pertencem a um fenômeno mais amplo, relativo à Amazônia central e ao baixo

Amazonas, chamado de tradição pocó, denominada a partir do sítio Pocó, onde foram inicialmente identificados.

Sítios da tradição pocó são o registro, na calha do Amazonas, do período imediatamente anterior à constituição das grandes aldeias com terras pretas que caracterizariam a ocupação humana dessa parte da região em épocas posteriores. Nos locais onde foram identificados, esses sítios surgiram após longos hiatos no processo de ocupação humana. Na Amazônia central, por exemplo, o hiato teve duração de pelo menos 3.000 anos. As cerâmicas pocó têm uma série de características decorativas em comum com outras, mais antigas, identificadas no litoral da Colômbia. Uma hipótese provável é que as populações que as produziram tenham se originado no norte do continente e ocupado a Amazônia há aproximadamente 2.300 anos.

A partir do período marcado pelas cerâmicas pocó, as evidências de ocupação nas áreas adjacentes às várzeas amazônicas são abundantes. Na Amazônia central, por exemplo, seguem-se às pocó três ocupações distintas, todas associadas a grandes sítios com terras pretas: as já mencionadas ocupações com cerâmicas manacapuru, datadas entre os séculos VII e IX; as com cerâmicas chamadas de paredão, datadas entre os séculos VII e XI; e as com cerâmicas guarita, entre os séculos IX e XVI. A enumeração de diferentes nomes de complexos cerâmicos no passado não pretende confundir o leitor, mas apenas chamar a atenção para os intensos e dinâmicos processos de ocupação instaurados na Amazônia a partir do início da era cristã.

*A cerâmica marajoara.* Na Amazônia brasileira, é na ilha de Marajó que se encontram algumas das manifestações mais antigas dos processos de crescimento demográfico e de mudanças paisagísticas. Eles culminaram com a chamada cultura marajoara. Cerâmicas dessa cultura, ou "fase", compõem acervos de museus e coleções particulares no Brasil e no exterior, sendo caracterizadas por grande beleza e imensa diversidade de formas e padrões de decoração. Entre os diversos tipos de artefatos há urnas funerárias, vasos, estatuetas antropomorfas, pratos, tangas e bancos. A decoração é normalmente pintada e inclui motivos antropomorfos, zoomorfos e abstratos, sempre com alguma combinação entre vermelho, laranja, branco e preto. A decoração plástica, também freqüente, inclui o modelado e também o uso de diferentes técnicas de incisão e excisão. A beleza das cerâmicas marajoara torna-as bastante cobiçadas, sendo, sem sombra de dúvida, a maior categoria de objetos arqueológicos contrabandeados para fora do Brasil atualmente.

Um exemplo típico de urna marajoara.

Urna com decoração plástica e pintada, incluindo incisões, excisões e o modelado, também bastante comum.

Os sítios mais característicos da cultura marajoara são, normalmente, aterros artificiais, conhecidos como tesos, que têm alguns metros de altura e dezenas de metros de comprimento. Os tesos, bastante numerosos, são distribuídos na parte leste da ilha de Marajó, numa área de extensos campos naturais, alagados durante boa parte do ano, localizada ao redor do lago Arari. Apesar de uma história mais que centenária de pesquisas, não existe ainda uma cronologia precisa para a fase marajoara, embora haja um consenso que enquadra sua duração entre o século IV e o XIV — em cerca de mil anos, portanto.

A história das pesquisas arqueológicas e das interpretações propostas para explicar o registro arqueológico da ilha de Marajó emulam, de certo modo, a própria história da arqueologia e sua consolidação como disciplina acadêmica. Inicialmente, as cerâmicas sofisticadas e os sítios arqueológicos monumentais ali encontrados atraíram a atenção de naturalistas pioneiros, como Charles Hartt e Domingos Ferreira Penna, no fim do século XIX. No início do século XX, pesquisas arqueológicas importantes foram realizadas por Curt Nimuendaju e Heloísa Alberto Torres, mas foi nas décadas de 1940 e 1950, como resultado do trabalho de um casal de arqueólogos norte-americanos — Betty Meggers e Clifford Evans — que uma hipótese ainda influente foi proposta para explicar a arqueologia regional. Meggers e Evans são seguidores de uma linha de pesquisa conhecida como antropologia ecológica. Para esses autores, padrões verificados no registro arqueológico — tais como o tamanho, a densidade e o tempo de ocupação dos sítios — podem ser entendidos como o reflexo de padrões adaptativos de populações no passado.

No final dos anos 40, quando Meggers e Evans iniciaram suas pesquisas na ilha de Marajó e no Amapá, havia um paradigma na arqueologia sul-americana que identificava o norte e o centro da cordilheira dos Andes como os grandes centros de inovação na história da ocupação humana do continente. Por centros de inovação entendem-se aqui os locais onde se desenvolveram inicialmente elementos tais como a agricultura, a produção cerâmica e o Estado. De acordo com esse paradigma, a bacia amazônica e a área de domínio da mata atlântica teriam sido secundárias, para onde algumas — mas não todas — dessas inovações supostamente oriundas dos Andes se difundiram (ver figura a seguir). Tal perspectiva explicaria, por exemplo, por que impérios como o Inca teriam se desenvolvido na região andina e não na Amazônia ou no litoral atlântico. Dentro desse quadro, a arqueologia de Marajó oferecia uma contradição: como explicar um registro

Mapa do início da década de 1950 que representa uma perspectiva comum na antropologia do período, colocando a Amazônia em um contexto periférico na história cultural da América do Sul.

arqueológico tão rico, aparentemente característico de sociedades hierarquizadas, em uma área supostamente marginal como a foz do Amazonas? Após vários meses de prospecções e escavações e vários anos de análises de laboratório, Meggers e Evans propuseram, em 1957, que as populações que ocuparam o leste da ilha de Marajó — e que ali produziram as cerâmicas e os aterros artificiais típicos — seriam oriundas dos Andes, mas que não teriam encontrado na ilha condições ecológicas para manter padrões de organização social, econômica e política semelhantes aos das sociedades andinas complexas. Como conseqüência, tais sociedades teriam passado de complexas a simples, a partir de uma tipologia evolucionista então em voga na antropologia norte-americana.

*A tradição policroma.* Quando Meggers e Evans realizaram suas pesquisas na ilha de Marajó, o método de datações absolutas por carbono 14 não era ainda amplamente disponível. Sendo assim, propuseram, a partir de análise da cerâmica e de estudos das camadas nos sítios arqueológicos, que a fase marajoara teria sido relativamente curta, reflexo de um rápido processo de mudança cultural. Estudos posteriores, realizados nas décadas de 1960 e 1980 por Mario Simões e Anna Roosevelt, indicaram que tal hipótese não se sustenta, uma vez que aquela cultura teve duração de quase 1.000 anos, do século IV ao século XIV. Do mesmo modo, a hipótese de uma origem andina também não é válida. De fato, sabe-se hoje que as cerâmicas da fase marajoara são as representantes mais antigas da chamada tradição polícroma da Amazônia. Em arqueologia, o termo "tradição" denomina um conjunto de fases distribuídas por áreas vastas e com grande amplitude cronológica.

As cerâmicas da tradição polícroma são, como o próprio nome diz, caracterizadas pela decoração pintada em vermelho, cor-de-vinho, laranja ou preto sobre uma base branca. Do mesmo modo que na fase marajoara, as cerâmicas polícromas são também decoradas com modelado, incisão, excisão etc. Apesar das semelhanças gerais, há uma considerável variação entre as diversas cerâmicas e sítios arqueológicos associados à tradição polícroma. Por conta disso, elas recebem diferentes denominações regionais, a partir de suas características decorativas particulares. Algumas dessas denominações são relativamente bem conhecidas. Além da marajoara, há: miracangüera, na região de

Silves, Itacoatiara e Urucurituba; borba, no baixo Madeira; guarita, nas regiões de Manaus, baixo rio Negro, Manacapuru, Codajás e Coari; tefé, na região da cidade de Tefé; são joaquim e pirapitinga, no alto Solimões; zebu, na região de Letícia, na Colômbia; nofurei, também na Colômbia, mas na região de Araracuara, no rio Caquetá (Japurá); caimito, no alto Amazonas, e no rio Ucayali, no Peru; e, finalmente, napo, no rio Napo, no Equador.

Em linhas gerais, algumas tendências são notáveis: primeiramente, parece haver uma preponderância maior de vasos com formas quadrangulares ou retangulares à medida que se viaja rio acima. Assim, na região do rio Napo, próximo aos Andes, no extremo oeste da distribuição das cerâmicas polícromas, é comum a ocorrência de pratos quadrados. Um padrão análogo de mudança é visto nas urnas funerárias: no alto Amazonas são muito mais usuais as urnas antropomorfas polícromas, nas quais braços e pernas são modelados, destacando-se do corpo dos vasos, enquanto nas da fase marajoara braços e pernas são normalmente pintados ou modelados junto ao corpo dos vasos. Há ainda algumas formas de vasos que parecem só ocorrer em sítios polícromos em algumas áreas específicas: na Amazônia central, próximo a Manaus, é comum a ocorrência de vasos de médio porte, com decoração plástica em canais e decoração pintada em branco.

Urnas da tradição policroma encontradas na Amazônia central. Suas características comuns são as faixas grossas pintadas em branco, preto e vermelho – tornadas quase invisíveis pelo tempo – e as representações antropomorfas.

A cronologia e a distribuição geográfica de sítios da tradição polícroma mostram um padrão bastante claro: os mais antigos, datados do século IV, aproximadamente, estão localizados na ilha de Marajó. Posteriormente, em torno do século VIII, sítios polícromos foram ocupados ao redor da atual cidade de Silves, no estado do Amazonas. De Silves para o oeste, eles são encontrados em áreas próximas aos rios Amazonas e Solimões até acima da cidade de Iquitos, no Peru. Sítios da tradição polícroma foram também identificados ao longo dos principais afluentes dos rios Amazonas e Solimões, tais como: Madeira, Uatumã, Negro, Japurá-Caquetá, Içá-Putumayo e Napo, entre outros. A cronologia mostra que sítios com cerâmicas polícromas tornam-se paulatinamente mais recentes à medida que se percorre, rio acima, o Amazonas-Solimões e seus afluentes, desde a foz até os contrafortes dos Andes. Tal padrão indica que a tradição polícroma é um fenômeno com origem claramente amazônica, e não andina, conforme propuseram Meggers e Evans na década de 1950. As descobertas indicam que, enquanto as cerâmicas polícromas encontradas na ilha de Marajó datam do século IV, as mais antigas da Amazônia central datam do século IX, as do médio Solimões, do século XII, e as do alto Amazonas, do século XIII.

O significado dessas datas não é claro. Não se pode dizer, no momento, se o padrão indica um processo de expansão demográfica e colonização de novas áreas ou apenas relações de troca e comércio responsáveis pela distribuição das cerâmicas dessa tradição. Na Amazônia central, há evidências de construção de valas artificiais, algumas delas com sinais de buracos de estacas em seu interior, situadas ao redor de sítios arqueológicos, contemporâneas das ocupações polícromas na área, no século XI. Tais estruturas têm função aparentemente defensiva. A continuação de pesquisas nessa área poderá mostrar se a construção de estruturas desse tipo foi mesmo freqüente naquele período, o que pode ajudar a entender se a expansão polícroma teve ou não caráter bélico. Gaspar de Carvajal, cronista da expedição de Francisco de Orellana, que desceu o rio Amazonas em 1542, narra como — em um local situado entre as bocas dos rios Negro e Urubu, próximo à cidade de Manaus — avistaram "uma aldeia fortificada por uma muralha de madeiras grossas".

É certo que as populações que produziram cerâmicas polícromas foram as mesmas que testemunharam a passagem dos primeiros viajantes europeus — tais como Carvajal e Orellana — pela Amazônia, nos

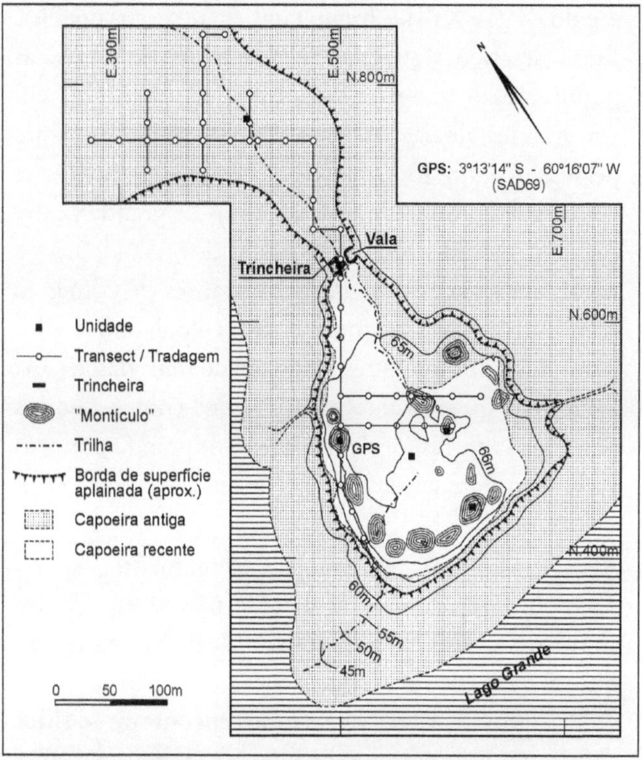


Planta do sítio Lago Grande, localizado em uma península de 30m de altura junto a um lago da várzea do rio Solimões. As habitações são dispostas em círculo ao redor de uma praça central, e, ao norte, no istmo que conecta a península à terra firme, foi construída uma vala defensiva no séc. X. É possível que os conflitos que levaram à construção da vala tenham eventualmente causado o abandono do sítio.

séculos XVI e XVII, e foram também descritas por eles. Essas descrições sugerem que, em alguns casos, as populações do alto Amazonas e do rio Solimões viviam em grandes aldeias, às vezes com alguns milhares de pessoas, e eram governadas por chefes supremos, que comandavam também outras aldeias de grande porte. Ainda de acordo com os cronistas dos séculos XVI e XVII, esses grupos mantinham relações de comércio com outros mais distantes. A arqueologia amazônica tem, nos últimos anos, confirmado tais descrições, indicando que, de fato, alguns sítios com cerâmicas polícromas correspondem a aldeias de grande porte, às vezes com dezenas de hectares de área.

*A tradição incisa e ponteada.* Curiosamente, há, no baixo Amazonas, uma área onde não se encontram sítios com cerâmicas polícromas. Ela inclui um trecho que vai da foz do rio Xingu, a leste, até a região da cidade de Parintins, a oeste. Nesses locais encontram-se sítios com cerâmicas bastante distintas das polícromas, mas também de grande beleza, pertencentes à chamada tradição incisa e ponteada. Esses sítios são contemporâneos aos da tradição polícroma, sendo datados desde pelo menos o ano 1000 até o início da colonização européia. Sítios com cerâmicas incisas e ponteadas também podem ser bastante grandes, com vários hectares de área, e associados a terras pretas antrópicas, indicando que eram grandes aldeias sedentárias ocupadas por populações numerosas. Em levantamentos realizados na década de 1920, Curt Nimuendaju identificou mais de 60 deles no entorno da cidade de Santarém, alguns conectados por caminhos amplos, como se fossem estradas. A presença de vias terrestres conectando sítios arqueológicos foi identificada também no alto Xingu, associadas a ocupações do século XIII, embora essas não tenham cerâmicas incisas e ponteadas.

Talvez as cerâmicas mais conhecidas relacionadas à tradição incisa e ponteada sejam as tapajônicas ou de Santarém. Trata-se, assim como no caso de Marajó, de cerâmicas bastante sofisticadas, incluindo formas complexas e técnicas de produção como a pintura e o modelado. Os objetos tapajônicos mais conhecidos são os vasos de cariátides e de gargalo, que têm esses nomes devido a sua forma e decoração. Nessas categorias prevalece a decoração modelada, composta por motivos zoomorfos — como pássaros, morcegos, répteis e mamíferos — e também antropomorfos, incluindo as próprias cariátides. Na cerâmica tapajônica é também comum que se encontrem estatuetas antropomorfas, em alguns casos bastante naturalistas, nas quais se percebem detalhes da pintura corporal, uso de jóias e diferentes tipos de pen-

Vaso de gargalo característico da região de Santarém.

Os vasos de cariátides têm estrutura complexa e incluem figuras modeladas (as cariátides) que sustentam uma vasilha decorada com incisões e apêndices antropomorfos e zoomorfos.

teado. Talvez a categoria mais conhecida dessas estatuetas sejam as de base semilunar, representando mulheres nuas e adornadas.

As cerâmicas tapajônicas são encontradas em uma grande área que tem como centro a cidade de Santarém, localizada sobre um grande sítio arqueológico atualmente bastante destruído, devido ao crescimento urbano. Elas podem também ser vistas em acervos de museus brasileiros e estrangeiros, bem como em coleções particulares. A região de Santarém e entorno, apesar de seu grande interesse, é ainda muito mal conhecida do ponto de vista arqueológico, não havendo, por exemplo, sequer uma cronologia básica para os sítios. As poucas datas disponíveis indicam que a ocupação tapajônica remonta pelo menos ao final do primeiro milênio, e durou até o século XVII, ou seja, após a chegada dos europeus. Informações sobre o modo de vida dessa sociedade podem ser obtidas nos relatos de missionários católicos que com ela conviveram. Esses dados mostram que a sociedade tapajônica era bastante hierarquizada e que as mulheres tinham um papel político e religioso importante. Tais informações são corroboradas pelos poucos dados arqueológicos disponíveis.

Próximo a Santarém, na região dos rios Nhamundá e Trombetas, bem como na região de Parintins, encontram-se cerâmicas também pertencentes à tradição incisa e ponteada, conhecidas como konduri. São também bastante sofisticadas, com prevalência da decoração modelada em motivos antropomorfos e zoomorfos, e com a diferença de que os vasos são geralmente maiores que os tapajônicos. Os fragmentos desses vasos são conhecidos como "caretas", e comumente encontrados em áreas de terra preta e roças por toda a região. A arqueologia konduri é ainda menos conhecida que a tapajônica, mas acredita-se que suas populações tenham sido contemporâneas. Um aspecto interessante da arqueologia konduri é a presença de um pequeno, mas representativo, repertório de estatuetas de pedra polida. Elas representam seres humanos e animais, com destaque para onças e sucuris. Normalmente, têm duas grandes perfurações, mas não se sabe como eram utilizadas. A iconografia de algumas das estatuetas lembra bastante a das grandes esculturas de pedra encontradas na região de San Agustín, nos Andes colombianos. Outras, por sua vez, têm traços em comum com os desenhos encontrados nas pranchetas de madeira produzidas pelos índios Maué até o século XIX e usadas para aspiração de paricá, um pó alucinógeno feito a partir da casca das árvores do gênero virola.

O paricá era aspirado em pranchetas de madeira ricamente trabalhadas.

Outra categoria de artefatos de pedra associados à cerâmica konduri são os muiraquitãs, que não são exclusivos da região do Nhamundá-Trombetas, pois há informações de sua ocorrência em locais como a ilha de Marajó, Santarém, alto Tapajós e até mesmo ao norte de Manaus. Os muiraquitãs são normalmente bastante pequenos, sendo quase sempre zoomorfos — os antropomorfos são bem mais raros. Eles são também encontrados fora da Amazônia, nas Guianas e ilhas do Caribe. Não está ainda claro se a região do Nhamundá-Trombetas era o único centro de produção a partir do qual circulavam esses artefatos ou se eles eram produzidos em vários locais diferentes. O fato é que a distribuição de muiraquitãs por uma ampla área indica que as populações amazônicas do início do segundo milênio não estavam isoladas, mas sim integradas em redes de comércio ou de outros tipos, que permitiam o contato. Devido a seu tamanho reduzido e alta portabilidade, muiraquitãs são peças sujeitas a roubo e contrabando.

Os muiraquitãs mais comuns são em forma de sapo, feitos de pedras esverdeadas, mas há exemplares de rocha branca e com outros motivos zoomorfos. Sua função é desconhecida.

*As cerâmicas de Maracá.* Por volta do ano 1000, o registro arqueológico mostra um quadro de diversidade cultural e política na Amazônia brasileira, exemplificado pelos tesos da ilha de Marajó, pelos grandes sítios da região de Santarém e também pelos diferentes tipos de cerâmicas, incluindo as policromas, no médio e alto rio Solimões. É, no entanto, na região onde se encontra o atual estado do Amapá que tal diversidade parece ter sido mais intensa, como indicado pela proliferação de uma série de cerâmicas distintas, e aparentemente contemporâneas, em uma área relativamente pequena. Conhecidas localmente como aristé, mazagão, aruã, cupixi e maracá, as cerâmicas de Maracá foram descobertas no século XIX, e incluem urnas funerárias zoomorfas e antropomorfas com a forma de indivíduos sentados sobre bancos — em muitos casos, semelhantes aos usados por grupos indígenas contemporâneos da região da Guiana. As urnas maracá encontram-se sempre na superfície, colocadas dentro de grutas, na região do igarapé do Lago, a oeste de Macapá, mas há também sítios a céu aberto, embora sem urnas. Atualmente, o crescimento econômico da região e a falta de proteção trazem uma ameaça a esse patrimônio, uma vez que os sítios têm sido saqueados por colecionadores de peças.

Estatuetas de pedra polida como essa são raras na arqueologia da Amazônia. A representação mais comum é de figuras antropomorfas envoltas ou encobertas por figuras zoomorfas, sugerindo talvez o transe xamanista.

As diversas cerâmicas do Amapá não são ainda muito bem datadas. A exceção são as cerâmicas aristé, conhecidas também na Guiana Francesa, que remontam ao século IV ou V. O interessante nesse caso é que há uma clara relação entre os índios Palikur, atuais habitantes da região litorânea do norte do Amapá e da Guiana Francesa, e os grupos indígenas que produziram as cerâmicas aristé e viveram na mesma região. Se correta, essa hipótese indica que os Palikur e seus ancestrais vivem continuamente nessa área há cerca de 1.500 anos. Do mesmo modo que as cerâmicas maracá, urnas funerárias aristé são também encontradas em grutas. Os sítios a céu aberto correspondem a antigas aldeias. Alguns deles estão localizados sob aldeias contemporâneas, como é o caso de Kumene, localizada no rio Urucauá. As cerâmicas aristé têm grande beleza, marcada pela decoração pintada e modelada e por grande diversidade de formas. Talvez o sítio aristé mais conhecido seja Kunani, um poço artificial onde se depositaram diversos vasos e urnas funerárias, localizado próximo à cidade de Calçoene e escavado por Emilio Goeldi no fim do século XIX. Do mesmo modo que as cerâmicas de Maracá, os sítios aristé são também ameaçados pelo interesse de colecionadores particulares e pela proximidade com a Guiana Francesa, o que facilita o contrabando de peças.

*A contribuição dos índios.* O fato de haver uma relação direta entre os índios Palikur e os grupos que ocuparam a região antes do início da colonização européia permite que se utilize a tradição oral na identificação e no estudo de sítios arqueológicos na região. Uma experiência nesse sentido foi realizada em um sítio chamado Kwap, localizado às margens do rio Urucauá, escavado por uma equipe de índios Palikur juntamente com arqueólogos e antropólogos. Nos trabalhos de campo, as informações dos índios foram utilizadas com o fim de identificar áreas para a abertura de escavações, normalmente inacessíveis ou pouco visíveis, já que o sítio está atualmente coberto pela mata. Sem essa colaboração, as informações obtidas seriam certamente incompletas.

Outros exemplos de participação ativa e criativa de índios em trabalhos de campo arqueológicos têm ocorrido no alto Xingu e no alto rio Negro. Na região do rio Uaupés, na bacia do alto rio Negro, a tradição oral dos índios Tariano foi utilizada para a identificação de sítios atualmente localizados sob a floresta. De acordo com a tradição oral, os Tariano teriam tido conflitos armados com outros índios da região quando ali se estabeleceram, mas não se sabia ao certo quando isso teria ocorrido. A escavação de sítios identificados graças a histórias contadas de geração a geração pelos índios permitiu que se determinasse que a ocupação do rio Uaupés pelos Tariano ocorreu por volta do início do século XV. No alto Xingu, os índios Kuikuru têm trabalhado com arqueólogos e antropólogos na identificação e mapeamento de grandes aldeias circulares, cercadas por valas artificiais e conectadas por estradas. Até meados da década de 1990, havia dúvidas se tais estruturas eram artificiais ou naturais. Os trabalhos arqueológicos mostraram que as valas e as estradas foram construídas, provavelmente pelos ancestrais dos Kuikuru, no século XIII. Os achados no alto Xingu mostram também que os processos de formação de grandes aldeias sedentárias não se restringiram apenas às áreas da várzea do rio Amazonas, também ocorrendo em locais distantes de sua calha principal.

Por outro lado, grupos indígenas organizados em entidades como a Coiab (Confederação das Organizações Indígenas da Amazônia Brasileira) têm exercido uma pressão cada vez maior sobre arqueólogos e órgãos públicos de proteção ao patrimônio arqueológico. Eles manifestam preocupação quanto aos usos do conhecimento produzido pela arqueologia e também quanto ao destino dos vestígios obtidos. Recentemente, a escavação de algumas urnas funerárias em uma praça localizada no centro histórico de Manaus provocou intenso debate — envolvendo índios, arqueólogos e o poder público — quanto ao local de guarda definitiva desses artefatos. O problema não foi ainda resolvido, mas, embora não haja evidências de conexão histórica direta entre os índios que ocupavam a região de Manaus há cerca de 1.300 anos e os mais de 20.000 índios que hoje ali vivem, o próprio surgimento de um debate sobre o tema é mais uma evidência do início de nova época no relacionamento entre índios e arqueólogos.

*O impacto da colonização.* O início da colonização européia, a partir do século XVI, pôs em marcha um profundo processo de mudança entre os povos indígenas que habitavam a Amazônia. A maior prova disso é o já mencionado fato de que, atualmente, grande parte das terras indígenas da região está localizada em áreas distantes do rio Amazonas, na periferia da bacia, em locais como o alto rio Negro, o alto Xingu, o planalto das Guianas e a bacia do alto Madeira. Paradoxalmente, áreas próximas aos rios Amazonas e Solimões, ou mesmo a ilha de Marajó, que não são hoje ocupadas por grupos indígenas numerosos, mas sim por seus descendentes caboclos, estão repletas de sítios arqueológicos, alguns deles de grande porte. A explicação mais simples para essa questão é que muitos dos grupos que viviam nessas áreas à época do descobrimento foram exterminados pela transmissão de doenças contra as quais não tinham imunidade, pela guerra e pela escravidão. De fato, os relatos dos primeiros europeus que desceram o rio Amazonas mostram que algumas áreas eram mesmo densamente ocupadas. No século XVIII, o quadro já era outro, e muitas regiões estavam bastante esvaziadas. O golpe final pode ter sido o ciclo da borracha do final do século XIX e início do XX, uma época de extrema violência contra os índios e ao mesmo tempo de forte ocupação da Amazônia por famílias empobrecidas de migrantes nordestinos. Foi também nessa época que se iniciaram as pesquisas antropológicas na região. Talvez por isso, a imagem consolidada entre cientistas e o público em geral seja a de que a Amazônia foi sempre esparsamente povoada. Atualmente, a arqueologia contribui para modificar essa visão, trazendo evidências de uma rica história pré-colonial.

É importante, no entanto, evitar interpretações simplistas, ou mesmo anacrônicas, quanto à história da Amazônia pré-colonial. Um risco, por exemplo, seria a suposição de que as sociedades indígenas pré-coloniais estariam seguindo um caminho inexorável rumo ao desenvolvimento de uma organização política como um Estado, e que tal caminho teria sido abortado pelo início da colonização européia. A arqueologia mostra que as bases econômicas das sociedades amazônicas sempre foram centradas no grupo doméstico, isto é, a unidade produtiva sempre foi a família nuclear ou o grupo residencial, organizados no cultivo de mandioca e outras plantas, na pesca, na coleta e, em menor escala, na caça. Tal característica conferia a esses grupos um grau de autonomia econômica que criava as condições para o desenvolvimento de formações sociais marcadas pela instabilidade política de longo prazo, verificada no registro arqueológico através de sucessivos episódios de ocupação e abandono de grandes assentamentos. Talvez a partir dessa perspectiva possam ser explicados alguns fenômenos interessantes, tais como o colapso da cultura marajoara no século XIV ou o fato de que o apogeu demográfico na Amazônia central pré-colonial tenha aparentemente ocorrido no século XI, e não no XVI.

## Perspectivas futuras e temas de investigação

Este livro apresentou um quadro sintético e, espera-se, coerente da história pré-colonial da Amazônia. O resultado, no entanto, é provisório e fadado a ser modificado em um futuro não tão distante, à medida que novas áreas de pesquisa forem investigadas. Além da calha do Amazonas e de alguns de seus afluentes, há regiões virtualmente desconhecidas pela arqueologia. No Acre, por exemplo, próximo a Rio Branco, achados recentes têm mostrado a ocorrência de estruturas artificiais, feitas de terra, com formas geométricas quadrangulares ou circulares e dezenas de metros quadrados de área, conhecidas como geóglifos. Não se sabe ainda qual a idade dessas estruturas, mas correlações com estruturas semelhantes construídas na Bolívia sugerem que devem datar do primeiro milênio. No momento, é difícil estabelecer uma correlação entre os geóglifos e os povos indígenas que ocupam atualmente a região do alto Purus. Entre outras áreas mal conhecidas, há as bacias dos rios Javari e Juruá, a bacia do rio Branco — que inclui quase todo o estado de Roraima —, toda a área de interflúvio no planalto das Guianas, desde Roraima até o Amapá, e também o grande interflúvio entre os rios Madeira, Tapajós, Xingu e Tocantins, ao sul. O crescente avanço das frentes de colonização, principalmente no sul da Amazônia, leva sério risco ao patrimônio arqueológico dessas áreas.

No início deste livro propus que, na Amazônia, informações sobre o passado podem trazer contribuições para a resolução de um problema do presente: encontrar a forma mais adequada de ocupação da região. Ao final, espero ter deixado claro que a arqueologia nos diz que, no passado, as ocupações humanas foram mediadas por um profundo conhecimento das condições ecológicas, expresso, por exemplo, na rica iconografia das cerâmicas ou gravuras rupestres. Talvez o desafio seja justamente este: conhecer a Amazônia a partir de seus próprios parâmetros culturais e ecológicos, para que esse patrimônio não se perca para sempre.

# Cronologia

**12000 a.C.** Possível ocupação da gruta Lapa do Sol (vale do rio Guaporé, Mato Grosso)

**9200 a.C.** Início da ocupação da caverna da Pedra Pintada (Monte Alegre, Pará)

**6000 a.C.** Ocupação de diferentes partes da Amazônia: serra dos Carajás (Pará); rio Jamari (Rondônia); rio Caquetá (Colômbia); baixo rio Negro (próximo a Manaus); alto Orinoco (Venezuela)

**6000-5000 a.C.** Possível início de produção cerâmica nos sítios da caverna da Pedra Pintada

**3500 a.C.** Início da produção cerâmica nos sambaquis do litoral do Pará (fase mina)

**2500 a.C.** Início da formação de terras pretas (rio Jamari)

**1900 a.C.** Ocupação da ilha de Marajó por grupos fabricantes da cerâmica ananatuba

**300-100 a.C.** Ocupação da Amazônia central (próximo a Manaus) e do baixo Amazonas (rio Trombetas) por grupos fabricantes das cerâmicas da tradição pocó

**300-1400 d.C.** Ocupação da ilha de Marajó por grupos que produziram as cerâmicas da fase marajoara

**300-1500 d.C.** Expansão da tradição polícroma desde a ilha de Marajó até o sopé dos Andes peruanos, equatorianos e colombianos

**400 d.C.** Início da formação de terras pretas em diferentes partes da Amazônia; organização de grandes aldeias

**500-1600 d.C.** Processo de diversificação cultural na foz do Amazonas (Amapá), incluindo o desenvolvimento de diferentes complexos cerâmicos (aristé, mazagão, maracá, aruã), escavação de poços funerários e construção de alinhamentos artificiais de pedra

**600-1500 d.C.** Ocupação contínua da Amazônia central por diferentes grupos (manacapuru, paredão e guarita)

**900-1600 d.C.** Ocupação da região dos rios Trombetas, Amazonas e Tapajós por grupos produtores de cerâmicas da tradição incisa e ponteada (Santarém e Konduri), de estatuetas de pedra polida e muiraquitãs

**1000-1600 d.C.** Formação de grandes aldeias ligadas por estradas no alto Xingu

# Sugestões de leitura

Começando pelas publicações mais recentes, recomendo:

• *The Ecology of Power: Culture, Place, and Personhood in the Southern Amazon, AD 1000-2000*, de Michael Heckenberger (Nova York: Routledge, 2005). Importante contribuição à arqueologia e etnologia do alto Xingu, inclui também discussões mais amplas, relevantes para toda a bacia amazônica.

• *A cerâmica arqueológica da Amazônia: A coleção tapajônica do MAE-USP*, de Denise Gomes (São Paulo: Edusp, 2004), é um livro fartamente ilustrado que contém uma boa discussão sobre a arqueologia da região de Santarém.

• *Arte rupestre da Amazônia: Pará*, de Edithe Pereira (São Paulo: Unesp, 2004), é a melhor obra disponível sobre o tema, embora restrita apenas ao Pará. A autora é especialista no assunto. Com muitas ilustrações, interessará tanto ao público leigo como ao especializado.

• *Unknown Amazon: Nature in Culture in Ancient Brazil*, organizado por Colin McEwan, Cristiana Barreto e Eduardo Neves (Londres: British Museum Press, 2001). Esse catálogo de uma exposição realizada no Museu

Britânico contém artigos sobre diferentes tópicos referentes à arqueologia e à etnologia da Amazônia. Não foi traduzido para o português.

• *Os índios antes do Brasil*, de Carlos Fausto, também da coleção Descobrindo o Brasil (Rio de Janeiro: Jorge Zahar, 2000), é uma excelente introdução à história dos índios brasileiros, com discussões pertinentes à arqueologia amazônica.

• O livro de André Prous, *Arqueologia brasileira* (Brasília: UnB, 1992), embora já um pouco desatualizado em alguns tópicos, é de longe a mais completa obra sobre o tema disponível em português. O autor, nascido na França, tem ampla experiência de pesquisa e ensino em Minas Gerais.

• Outra boa coletânea de textos sobre história indígena e arqueologia no Brasil, incluindo a Amazônia, é *História dos índios no Brasil*, organizada por Manuela Carneiro da Cunha (São Paulo: Companhia das Letras/Fapesp/ SMC, 1992).

• Para conhecer as pesquisas e estudos pioneiros sobre o tema, recomendo as obras de Clifford Evans e Betty Meggers, *Archaeological Investigations on the Rio Napo, Eastern Ecuador* (Smithsonian Contributions to Anthropology, vol.6. Washington: Smithsonian Institution Press, 1968) e *Archaeological Investigations at the Mouth of the Amazon* (Washington: Bureau of American Ethnology, Bulletin n.167, 1957). A primeira é uma obra fundamental sobre a tradição polícroma da Amazônia, embora as conclusões não se sustentem no presente. A segunda é referência importantíssima para a arqueologia da ilha de Marajó e da foz do Amazonas.

• Betty Meggers é autora também de *Amazonia: Man and Culture in a Counterfeit Paradise* (Chicago: Aldine, 1971), que teve várias edições em português sob o título *Amazônia: a ilusão de um paraíso*. Apresenta os princípios do determinismo ambiental, atualmente criticados, para explicar a ocupação humana da Amazônia.

• Há ainda o genial livro de Donald Lathrap, *The Upper Amazon* (Londres: Thames & Hudson, 1970), que promove uma síntese entre arqueologia, lingüística e ecologia na Amazônia. Algumas hipóteses estão superadas, mas a obra ainda conserva muito vigor.

• Por fim, *L'archéologie du bassin de l'Amazone* (Ars Americana, vol.1. Paris, 1930), de Erland Nordenskiöld, é uma das primeiras sínteses da arqueologia da Amazônia, fartamente ilustrada e surpreendentemente atual quase 80 anos após sua publicação. Um clássico.

## Agradecimentos

Este livro não poderia ter sido escrito sem a colaboração de algumas pessoas cujos nomes cito a seguir. Antonio Porro, conhecedor profundo da história colonial da Amazônia, proveu as referências sobre fortificações contidas nos relatos de Gaspar de Carvajal. Celso Castro, editor da série, acolheu com interesse a idéia da publicação do livro e aceitou com elegância o atraso na entrega do manuscrito. Catarina Eleonora Ferreira da Silva, Inga Thieme e Cláudio Angelo leram o texto e fizeram comentários valiosos.

A convivência e o aprendizado constante com os companheiros do Projeto Amazônia Central (em ordem alfabética de sobrenome: Manuel Arroyo-Kalin, Bob Bartone, Fernando Costa, Cláudio Cunha, Patrícia Donatti, Michael Heckenberger, Helena Lima, Luis Fernando Lima, Juliana Machado, Levemilson Mendonça, Claide Moraes, Anne Rapp Py-Daniel, Lilian Rebellato e Francisco Villaça) têm, ao longo dos anos, renovado o prazer intelectual e físico que é fazer arqueologia na Amazônia. Agradeço às colegas da 1ª Superintendência Regional do Iphan, em Manaus — Patrícia Alves, Bernadete Mafra, Heloísa Helena Martins

Araújo e Ana Lúcia Abrahim — e da Copedoc-Iphan, no Rio — Catarina Eleonora Ferreira da Silva — pelo apoio institucional constante. Marcos Castro preparou algumas das ilustrações. O professor José Alberto Neves, de Urucurituba, no Amazonas, de quem não tenho a honra de ser parente, tem sido um exemplo de dedicação desinteressada à arqueologia da região. Carlos Augusto da Silva tem sido mais que um colega ao longo dos anos: sábio das coisas da Amazônia, verdadeiro mestre, parceiro de todas as horas e amigo fiel. Agradeço também à minha companheira Dainara Toffoli pelo amor constante e pela compreensão com as costumeiras ausências quando estou no campo.

Este livro é dedicado a James B. Petersen, estupidamente assassinado no dia 13 de agosto de 2005, quando fazíamos trabalhos de campo no Amazonas. Durante muitos anos, Jim e eu coordenamos o Projeto Amazônia Central. Nesse tempo, tive o privilégio de privar de sua convivência bem-humorada, generosa e sábia. Jim foi sem dúvida o melhor arqueólogo com quem convivi, opinião comum a todos que com ele também trabalharam, seja no Brasil, no Caribe ou na América do Norte. Sua morte deixou um vazio na arqueologia de todo o continente, uma perda parcialmente compensada pelo fato de que sua presença iluminou muitas vidas, despertou vocações, abriu caminhos, fertilizou. Hell of a job, Jim!

# Sobre o autor

Eduardo Góes Neves nasceu em São Paulo, em 1966. Tem dois filhos, é bacharel em história pela FFLCH-USP, doutor em arqueologia pela Universidade de Indiana (EUA), pesquisador do CNPq e professor do Museu de Arqueologia e Etnologia da Universidade de São Paulo, onde leciona ainda no programa de pós-graduação em arqueologia. É também professor do programa de pós-graduação em arqueologia na Universidade do Centro da Província de Buenos Aires, na Argentina.

Trabalha desde 1986 com arqueologia na Amazônia e desde 1990 no Amazonas, estado onde tem pesquisado principalmente nas bacias dos rios Negro e Solimões. Tem organizado exposições e publicado trabalhos sobre esse tema no Brasil e no exterior. Acredita que a Amazônia ainda tem futuro e que o entendimento do passado pode ajudar nesse processo.

## Coleção Descobrindo o Brasil

*direção: Celso Castro*

**A modernização da imprensa (1970-2000)**
Alzira Alves de Abreu

**O Brasil no império português**
Janaina Amado e Luiz Figueiredo

**Os intelectuais da educação**
Helena Bomeny

**A era do rádio**
Lia Calabre

**A invenção do Exército brasileiro**
**A proclamação da República**
Celso Castro

**O Estado Novo**
Maria Celina D'Araujo

**A belle époque amazônica**
Ana Maria Daou

**O livro e a leitura no Brasil**
Alessandra El Far

**O pensamento nacionalista autoritário**
Boris Fausto

**Os índios antes do Brasil**
Carlos Fausto

**Os brasileiros e a Segunda Guerra Mundial**
Francisco César Ferraz

**Rebeliões no Brasil Colônia**
Luciano Figueiredo

**Palmares, ontem e hoje**
Pedro P. Funari e Aline V. Carvalho

**A arte rupestre no Brasil**
**Sambaqui: arqueologia do litoral brasileiro**
Madu Gaspar

**As formas do espaço brasileiro**
Pedro Geiger

**Cidadania e direitos do trabalho**
Angela de Castro Gomes

**Negros e política (1888-1937)**
Flávio Gomes

**Código Civil e cidadania**
Keila Grinberg

**Como falam os brasileiros**
Yonne Leite e Dinah Callou

**Uma viagem com Debret**
Valéria Lima

**O nascimento da imprensa brasileira**
Isabel Lustosa

**Escravidão e cidadania no Brasil monárquico**
Hebe Maria Mattos

**Os evangélicos**
Clara Mafra

**O sindicalismo brasileiro após 1930**
Marcelo Badaró Mattos

**O período das Regências (1831-1840)**
Marco Morel

**Da Bossa Nova à Tropicália**
Santuza Cambraia Naves

**Arqueologia da Amazônia**
Eduardo Góes Neves

**História do voto no Brasil**
Jairo Nicolau

**O Brasil dos imigrantes**
Lucia Lippi Oliveira

**Política externa brasileira**
Leticia Pinheiro

**Ditadura militar, esquerdas e sociedad**
Daniel Aarão Reis

**A Independência do Brasil**
Iara Lis C. Souza

**Partidos políticos no Brasil (1945-2000**
Rogerio Schmitt

**O Império em procissão**
Lilia Moritz Schwarcz

**Modernismo e música brasileira**
Elizabeth Travassos Lins

**A fotografia no Império**
Pedro Karp Vasquez

**Brasil de todos os santos**
Ronaldo Vainfas e Juliana Souza